A nonna Liliana,
ti ricorderò sempre con gli occhiali sul naso
e un libro tra le mani

Nella vita d'ognuno c'è sempre un bacio che non si dimentica

Colazione da Tiffany

1. Peggy

Sono seduta alla mia scrivania: tazza di caffè, qualche cioccolatino comprato da *Harrods* ancora da scartare, Wolf che mi mordicchia la manica in lana del maglione e il portatile aperto ancora alla stessa pagina intonsa del programma di scrittura.

Fisso il PC, sono giorni che non riesco a buttare giù qualche idea decente e il problema è che non riesco neppure ad avere qualche spunto per il mio nuovo romanzo.

Nessuna trama, nessun personaggio avvincente e intrigante delineato nei miei pensieri, nessuna canzone a ispirarmi e nessuna location accattivante. Praticamente niente di niente.

Mi alzo, cammino nervosamente per il mio piccolo e intimo studio che si affaccia proprio su Regent's Park.

Do un'occhiata sul parco: soltanto una ragazza che, volenterosa, cerca di smaltire con una corsetta qualche cupcake di troppo.

Le piante stanno cominciando ad assumere tonalità primaverili nonostante la temperatura, a dir poco, ancora glaciale; sembra proprio che la primavera voglia farsi desiderare ancora un po', quantomeno sulla capitale inglese.

Il mio sguardo cade sulla mensola della libreria dove svettano alcuni dei miei romanzi giudicati dal mio editore, dalla critica e dai lettori, incantevoli, con vendite superiori alle mie più rosee aspettative.

Il problema di essere riuscita a scrivere diversi romanzi tutti rimasti nella *Top Ten* dei libri più venduti del Regno Unito e Nord America per svariati mesi, è che tutti pensano che dalla mia penna ne dovrà uscire a breve un altro che abbia lo stesso successo.

E io invece continuo a fissare la stessa pagina di *Word* ancora bianca.

Pare proprio che la mia fantasia abbia deciso di prendersi una pausa, di andare in vacanza.

Wolf mi guarda mordicchiando un vecchio pupazzo in pezza ormai logoro e scolorito dall'uso.

Sento suonare il cellulare. Accidenti, non ho assolutamente voglia di intavolare una conversazione con mia mamma che mi aggiorna sui nuovi scapoli d'oro di Londra.

Prendo lo smartphone e, no! È Simon, il mio editore.

Sono giorni che con una scusa o un'altra ho provato a procrastinare questa telefonata.

«Ehi Simon, buongiorno», dico mangiucchiandomi un'unghia, cosa che faccio solitamente quando sono nervosa.

«Peggy, sono giorni che provo a parlare con te: telefonate alle quali non hai risposto, messaggi ed e-mail che probabilmente non avrai neppure letto! Ho anche pensato che avessi trovato un altro editore che ti riconoscesse *royalties* più allettanti!», ride.

Dopo alcuni istanti nei quali, immagino, avrà bevuto un sorso del suo adorato cocktail ai mirtilli, aggiunge:

«Allora tesoro, come procede la stesura del tuo prossimo romanzo? I tuoi fans sono già in fibrillazione e non vedono l'ora di poter acquistare il tuo libro!»

Vorrei dirgli la verità ma invece mi sento dire:

«Tutto alla grande, devo lavorarci ancora un po' ma posso ritenermi soddisfatta: trama scorrevole e personaggi intriganti».

«Quindi pensi di portarlo sulla mia scrivania per le vacanze di primavera?»

Peggy ragiona, non dire sciocchezze!, mi ripeto, ma invece continuo:

«Tranquillo penso di riuscirci... adesso devo scappare, buona giornata Simon».

«Buona giornata a te, tesoro, e mi raccomando, cerca di rispondere a qualche mia e-mail ogni tanto, ma che dico... voi scrittori siete tutti un po' pazzi».

Già, proprio così...

Devo assolutamente farmi venire un'idea, trovare uno spunto e poi iniziare a scrivere.

Restare ancora in casa davanti al PC non penso che mi darà una mano, devo uscire, fare una passeggiata con Wolf e magari rilassarmi su una panchina sorseggiando un caffè lungo, americano, nel parco.

Indosso il pesante cappotto e, allacciata la pettorina a Wolf, usciamo.

Si sente ancora l'odore dell'inverno, il vento è pungente sul mio viso e nubi grigiastre minacciano pioggia.

Cammino per Regent's Park provando a non pensare a niente; guardo sorridendo Wolf che, soddisfatto, annusa qua e là scegliendo con meticolosità un cespuglio da "annaffiare" con la sua pipì. Mi soffermo poi al piccolo chiosco e, scovata una panchina nei pressi del laghetto, mi siedo assaporando l'aroma intenso del caffè e il gustoso muffin al cioccolato.

Il mio amico scruta attento i cigni che zampettano tranquilli sperando che qualche turista allunghi loro qualcosa in cambio di un selfie da postare sui social, prendo dalla mia *Miu Miu* lo smartphone e apro la casella della mia posta elettronica.

Ci sono parecchie e-mail di Simon che decido di cestinare, una di *Harrods* che mi invita a provare una nuova maschera idratante dal prezzo esorbitante che dovrebbe far assomigliare la mia pelle a quella di Keira Knightley nello spot di Chanel, una dell'elettricista per la manutenzione dei led sulle scale e una che, invece, attira la mia attenzione.

È la pubblicità di case vacanze: deliziosi cottage immersi nella natura, tra paesaggi incantevoli, pronti da affittare.

Quello che immediatamente attira il mio interesse è una piccola villetta con portico che si affaccia su di un colorato giardino.

Apro l'annuncio:

Direttamente sulla splendida spiaggia di Porthcurno Bay, cottage immerso nel verde con ampio salotto con camino, piccola cucina abitabile, doppi servizi, camera matrimoniale mansardata, completamente rimodernata. Si affitta per stagionalità. Informazioni presso il nostro ufficio.

D'impulso prendo il telefono per provare a chiamare ma non mi rispondono, probabilmente non avranno ancora aperto.

Guardo Wolf che prosegue a mordicchiare il suo pupazzo di pezza consumato che oggi ha deciso di portare con sé.

«Che ne dici Wolf, ti andrebbe di andare in Cornovaglia per qualche tempo? Potremmo fare delle lunghe e rilassanti passeggiate sulla spiaggia e, magari, trovare qualche idea per il mio nuovo romanzo!», lo informo guardando il suo muso peloso alquanto vivace.

Accarezzo il mio amico e proseguo a sorseggiare il mio caffè. Sì, forse la Cornovaglia con il suo mare cristallino, le sue spiagge dorate e il sole, saranno di ispirazione per il mio nuovo manoscritto.

Ci tratteniamo ancora nel parco per una lunga e corroborante passeggiata; mi soffermo a guardare la natura circostante che, a dispetto del clima ancora invernale, sta cominciando a tingersi con tinte nuove.

Ci godiamo il vento leggero sul viso e poi, quando Wolf decide di aver camminato e giocato abbastanza ci dirigiamo a casa.

***

Rientrata nel mio appartamento, il mio pensiero vola di nuovo verso la Cornovaglia.

Voglio telefonare per quella locazione, con una tazza di thè mi siedo alla scrivania e provo a chiamare.

Dopo alcuni squilli sento:

«Buongiorno, qui è la *Cornish Rent House*, sono Samantha, come posso esserle utile?»

«Buongiorno, ho notato una vostra e-mail pubblicitaria proprio questa mattina, telefono per quell'annuncio a Porthcurno Bay».

Dall'altro capo, la ragazza dice:

«Sì, un istante, può darmi il codice dell'annuncio?»

«Mi spiace ma non lo so, è una villetta con giardino proprio sulla spiaggia».

Dopo alcuni secondi, riprende:

«Ah sì, trovata. Sono quasi sicura che sia questa. Le rileggo l'annuncio: cottage immerso nel verde con ampio salotto con camino, piccola cucina abitabile, doppi servizi, camera matrimoniale mansardata, completamente rimodernata. È stato da poco ristrutturato nel completo rispetto dell'architettura locale. Location unica nel suo genere, veramente deliziosa».

«Sì, è proprio questo l'annuncio», confermo io guardando Wolf che sta dormicchiando sul divanetto in tweed.

Samantha prosegue:

«Senta, se vuole potremmo fargliela vedere anche in mattinata, sempre che lei possa, è un immobile incantevole e particolare».

«Non sono del luogo, abito a Londra, vorrei affittarla per poter lavorare al mio nuovo romanzo, sono una scrittrice».

«Accidenti, una scrittrice?»

Sorridendo, puntualizzo:

«Sono Peggy Cennevan, ho all'attivo diversi romanzi. Pensa che potremmo fissare un incontro per poter vedere il cottage? Potrei venire nel weekend!»

«Un istante che controllo, non ci dovrebbero essere problemi. Penso proprio che, questo weekend, qualcuno della nostra agenzia possa mostrarglielo».

Mi mette in attesa con quelle classiche musichette in sottofondo.

«Sì, nessun appuntamento. Le invierò un'e-mail con tutti i dettagli».

«Grandioso, grazie davvero Samantha».

«Oh, di nulla signorina Cennevan».

Quando riattacco mi sento decisamente soddisfatta.

Mi alzo dalla sedia e mi dirigo verso il mio guardaroba.

Scuoto la testa.

Credo che sia opportuno andare a Piccadilly Circus per un po' di sano shopping, il mio romanzo può aspettare.

***

Dopo aver preso d'assalto i miei negozi preferiti e aver speso una somma considerevole, decido di andare da *Costa* per il pranzo. Passeggiando per Regent's Street mi soffermo poi davanti alla *Daffodils bookshop*, la libreria dove sono solita fare le presentazioni dei miei romanzi e, con l'idea di comprare un thriller, entro.

Shelley, la commessa con la quale sono ormai in amicizia, sta sistemando alcuni libri sulle mensole.

«Buongiorno Peggy, come va il tuo nuovo romanzo? Girano voci che a breve sarà messo sul mercato!», esclama entusiasta voltandosi.

«C'è ancora tempo. Sto lavorando ancora alla stesura... piuttosto vorrei leggere un thriller cosa mi consigli?»

Shelley prende dallo scatolone alcuni volumi e me li porge.

«Questi stanno vendendo abbastanza, niente di troppo impegnativo, letture leggere ma che riescono a catalizzare l'attenzione del lettore. Vedi tu cosa potrebbe piacerti... mi sbaglio o ti sei data allo shopping compulsivo stamattina?»

Sorrido guardando i sacchi con il mio "bottino".

«Sì, vorrei trasferirmi per qualche tempo in Cornovaglia per rilassarmi e poter lavorare indisturbata al mio romanzo. Ho voglia di sole, lunghe e salutari passeggiate sulla spiaggia e magari poter fare qualche bagno in mare. Ho comprato costumi, ciabattine, shorts e sneakers, non tollero oltremodo il tempo di Londra perennemente grigio», ammetto guardando la copertina dei libri che ho in mano.

Poi aggiungo:

«Penso che leggerò questo. Ci vediamo Shelley!»

«Allora Peggy goditi il mare, rilassati e... buon lavoro».

Uscendo dalla libreria mi incammino a prendere la Metro già caotica, ho proprio voglia di ritmi rilassanti!

2. Spencer

Mi guardo attorno: dopo un lungo inverno in cui i clienti sono stati davvero pochi, devo ammettere che è arrivato il solito momento dell'anno in cui devo apprestarmi a mettere mano al B&B.

La suggestiva vicinanza del mare, con il salmastro e il vento, comporta purtroppo erosione sia delle imposte che della facciata quindi la manutenzione da fare è parecchia.

Faccio un giro nel parco e con il mio taccuino prendo nota dei lavori da fare e dei relativi materiali da comprare giù in paese.

"Vernice, coppale, spatole, rullo per tinteggiare, silicone e svariate guarnizioni da sostituire in giro per casa".

Prendo le chiavi del mio pick-up, alla radio stanno passando delle vecchie hit degli anni 90', percorro il vialetto in ciottoli e mi immetto nella strada principale.

I turisti in questo periodo sono ancora pochi e io avrò tempo per sistemare il B&B prima dell'arrivo dei soliti vacanzieri.

Fermo l'auto e mi incammino per il paese, devo passare dal negozio di ferramenta del signor Turner e poi ne approfitterò per passare ad acquistare qualcosa nel piccolo alimentari di prodotti locali.

***

«Ehi Spens, è da parecchio che non ti si vede qua in giro, pensavo che fossi andato da qualche parte per una vacanza prima dell'inizio della stagione!», esclama Roy sulla porta del suo pub.

Poi, avvicinandosi, aggiunge:

«Vieni, se entri ti offro una *Elgood's English Blonde Ale* e mi aggiorni un po' sulle novità di *Spring House*».

«Roy, dovrei proprio fare un sacco di cose, ma come potrei dire di no a una birra se, poi, offerta da un amico come te?», confesso io dandogli una leggera pacca sulla spalla.

Mi siedo al bancone a parlare con Roy che mi aggiorna sulle chiacchiere di paese.

«A quanto pare Miss Calrick sta cercando un fidanzato per la figlia e, si dice in giro, che il tenebroso proprietario di *Spring House* sarebbe, ai suoi occhi, uno degli scapoli più appetibili!»

Sollevo appena gli occhi dal giornale locale.

«Mi dispiace, di' pure alla signora Calrick di riversare le sue attenzioni altrove! Ho chiuso con le relazioni!»

Mi alzo dall'alto sgabello.

«Adesso devo proprio scappare, come ti ho detto devo ancora passare dal signor Turner».

Sto uscendo quando alle mie spalle il mio amico esclama:

«Ho sentito che dovrebbe girare il vento, l'ideale per scendere in spiaggia a prendere qualche onda, è da un pezzo che non diamo una spolveratina alle nostre tavole...»

«Per il momento mi attendono solo vernici e guarnizioni da cambiare! Ci vediamo Roy», mi limito a replicare chiudendomi la porta a battenti alle spalle e incamminandomi per la strada in ciottoli che conduce al negozio di ferramenta.

3. Peggy

Con il viso accaldato entro nella mia auto, Wolf mi guarda perplesso sdraiato sul suo cuscino. Sta piovendo praticamente da quando ho iniziato a portare i bagagli in macchina: un trolley, qualche shopper e diversi scatoloni.

Mi soffermo qualche istante a osservare la palazzina in stile vittoriano proprio nei pressi di Regent's Park dove abito, dovrei aver chiuso il gas e ovviamente anche la porta, a questo punto possiamo metterci in viaggio.

Guardo il cellulare, l'ennesimo messaggio della mamma. Quando le ho detto che sarei andata in Cornovaglia per lavorare al mio romanzo ha iniziato a fare un mucchio di domande, pensava addirittura che avessi impegnato la casa giocando d'azzardo! Neanche fossi una ludopatica.

L'unica che invece si è dimostrata entusiasta per questa mia vacanza-lavoro, è stata mia sorella Lucy alle prese con il suo nuovo lavoro di cake designer in una delle più ambite pasticcerie della capitale britannica.

Guardo Wolf:

«Allora, partiamo? Vedrai, ci divertiremo molto e poi, se non erro, fanno dei dolcetti al cocco deliziosi».

Faccio rombare il motore, metto la prima e mi immetto nel traffico cittadino.

Lentamente usciamo da Londra e prendiamo la M3.

Il traffico, adesso, è scorrevole, mentre alla radio stanno passando alcune melodie che hanno fatto la storia del cinema.

A ogni film associo sempre una canzone; come si può pensare a Pretty Woman senza canticchiare *It must have been love*? Oppure a Notting Hill e non fischiettare *When you say nothing at all*?

Continuo a guidare, fiduciosa che questa vacanza riesca a liberare la mia fantasia. Spero che il mare e la spiaggia mi facciano ideare qualcosa: una trama e qualche personaggio a cui affezionarsi.

Lasciata la città alle spalle, continuiamo a percorrere la M3; adesso si vedono solo campi e qua e là qualche tipico paesino.

Metto gli auricolari e, sfruttando il lungo tragitto, provo a telefonare a Simon, il mio editore.

Dopo vari squilli sento:

«Buongiorno amore mio, a cosa devo questa tua chiamata? Mi vuoi forse dire che hai intenzione di portarmi in anticipo il tuo manoscritto?»

Accidenti, pensa che io abbia quasi finito di scrivere il nuovo romanzo quando invece non ho neppure una trama su cui lavorare.

«Ti piacerebbe, eh? Mi dispiace ma per il momento dovrai attendere ancora un po'... ti ho chiamato solo per avvisarti che sto andando in Cornovaglia, ho intenzione di prendere in affitto uno di quei deliziosi cottage sulla spiaggia. Così, tra passeggiate rilassanti e ritmi diversi, potrò concentrarmi sul mio romanzo».

Prima che possa chiedermi qualcosa aggiungo:

«Tranquillo, so che devo farti avere il manoscritto sulla scrivania per le vacanze di primavera per poter poi pensare all'editing e rispettare i tempi di pubblicazione».

«Simon, sei ancora in linea?», chiedo.

«Oh sì, è solo che non pensavo che avresti voluto farti una vacanza adesso, col tuo libro in lavorazione. Se, tuttavia, ritieni che qualche paesino sul mare ti possa far lavorare con profitto, non posso che essere d'accordo con te».

Sorrido, sapevo che non avrebbe avuto nulla da ridire.

«Adesso, devo riattaccare, non vorrei sbagliare strada. Ci sentiamo, Simon...», taglio corto io.

«Voi scrittori mi farete impazzire!», esclama riattaccando.

Passiamo nei pressi di Exeter e imbocchiamo la M5.

Porthcurno se non sbaglio è proprio sull'estremità della costa, la punta della Cornovaglia.

Il navigatore mi fa svoltare poi in una strada che si inerpica sul promontorio; scollinando si inizia a scorgere il mare, adornato con diverse sfumature tra il blu e il verde e lingue di spiagge dorate.

Il paesaggio è davvero incantevole!

Ecco che entriamo nel piccolo paese di Penzance dove ho appuntamento con l'agente immobiliare. Fermo l'auto nei pressi della spiaggia.

Nonostante non si tratti di una giornata limpida, il vento leggero è tiepido e i raggi, che fanno capolino tra qualche nube, riescono lo stesso a riscaldare il mio viso.

Proseguiamo per un piccolo vialetto ed entriamo in paese.

Dovrei avere appuntamento proprio qui, nella piccola piazza.

Mi guardo attorno ma non mi sembra di scorgere alcuna ragazza, poi sento:

«Buongiorno, se non erro lei dovrebbe essere la signorina Cennevan, la famosa scrittrice».

Mi volto: un ragazzo alto, sì e no della mia stessa età, forse leggermente più giovane, vestito con camicia e pullover e dei jeans casual con delle sneakers alla moda mi sta guardando.

È snello e indubbiamente atletico, viso già abbronzato e capelli castani schiariti probabilmente dal sole e dalla salsedine, sorriso simpatico e occhi azzurri.

Accidenti, sembra proprio uscito da qualche rivista patinata.

«Buongiorno, sono Peggy Cennevan. Mi scusi ma mi aspettavo di avere appuntamento con la signorina con la quale ho preso accordi telefonicamente», sibilo un po' in imbarazzo.

Lui, sorridendo, risponde:

«Samantha non poteva, non lavora nel weekend. Io sono Vincent, piacere».

Allunga la mano verso di me.

«Piacere di conoscerla».

«Venga, andiamo con la mia macchina, il cottage è proprio sulla spiaggia di Porthcurno Bay. La location è deliziosa, unica nel suo genere».

Lo seguo, passiamo per il piccolo paese dove vedo diversi negozietti che vendono tipici prodotti locali e altri di oggettistica per divertirsi in spiaggia.

«Allora signorina Cennevan vuole prendere il cottage per una vacanza in totale relax?», mi chiede salendo in macchina, una decapottabile sportiva che immagino essere piuttosto costosa.

«In parte è anche una sorta di vacanza ma sono venuta soprattutto per poter lavorare al mio nuovo romanzo. Londra è caotica e poi lì sembra ancora inverno. Ho proprio bisogno di un clima mite e di potermi rilassare passeggiando sulla spiaggia».

Vincent prende una stradina a una sola corsia che si inerpica sulla collina, si vede il mare con le sue sfumature incantevoli che lambiscono la spiaggia.

«Accidenti qui il paesaggio è davvero un sogno», ammetto entusiasta.

«Signorina Cennevan come le ho detto è un luogo unico nel suo genere. Vedrà, se ne innamorerà!»

Abbasso il finestrino, si sente l'odore del salmastro e il dolce rumore delle onde. Vincent ferma la macchina.

Davanti a noi un vecchio cartello in legno con la scritta: *Porthcurno Cove*.

«Il cottage è proprio oltre quel sentiero, potremmo andare in macchina ma personalmente trovo questa stradina davvero suggestiva», dichiara sfoderando un altro dei suoi sorrisi.

Wolf sembra apprezzare questa nostra passeggiata, soffermandosi di tanto in tanto ad annusare i cespugli.

Camminiamo assaporando questa natura rigogliosa quando, immerso nel verde, vedo un cancello oltre il quale svetta un piccolo, quanto delizioso, cottage che dà su di un giardinetto con piante di rose canine, ortensie dalle tonalità pastello, tulipani dai colori vivaci e ciclamini rosa shocking.

Vincent prende un mazzo di chiavi dalla tasca posteriore dei jeans.

«Ecco, questa è la proprietà di cui parlavamo signorina Cennevan, il cottage è proprio su una delle spiagge più amate di tutta la regione e come può lei stessa vedere è stato completamente rimodernato».

Il cottage dall'esterno è di un giallo leggero, si nota che è stato ristrutturato totalmente di recente. Sul portico noto un invitante dondolo dove mi immagino già a sorseggiare un thè o un infuso, con un leggera coperta e il portatile aperto.

«Come può vedere il giardinetto non è molto grande ma sul retro ne ha un altro con un piccolo orticello. Su, le faccio vedere gli interni».

La porta si apre nel salotto dove vedo un divano avorio con dei cuscini shabby chic e delle spaziose librerie dove svettano libri, parecchi dei quali, sono di arte. Mi avvicino alla vetrata, si può scorgere parte della spiaggia e anche il sentiero che scende al mare tra piante e cespugli.

Lo seguo, la cucina è moderna e accogliente con una penisola dove si possono preparare impasti per dolci. Nella porta accanto, c'è anche un piccolo bagno di servizio. Saliamo la scala, facendo scricchiolare le travi del parquet.

Il bagno è spazioso con una bella vasca idromassaggio e un ampio oblò che da anch'esso sul giardino.

La camera mansardata, con il soffitto leggermente a spiovente da un lato, è anch'essa sui toni pastello: il letto è imbottito con una deliziosa coperta floreale che riprende sia le stampe alle pareti che la poltroncina vicina alla finestra.

C'è anche uno scrittoio, anch'esso, su uno stile shabby chic.

È indubbiamente spaziosa e accogliente, come del resto tutto il cottage, e il parquet color ghiaccio, anche se inusuale, mi piace molto.

Mi avvicino alla finestra: una spiaggia dorata che in alcuni punti diventa quasi avorio è lambita da acque cristalline che sfumano al turchese in mare aperto.

Qualche raggio inizia a fare capolino andando a illuminare parte del bagnasciuga e del mare che luccica.

Non può che essere mio, voglio questo cottage, so che stare qui mi darà una mano col mio lavoro.

«Lo prendo!», grido voltandomi.

Vincent quasi si spaventa, poi sorride.

«Non vuole vedere altre proprietà? Ne ho altre sempre sulla spiaggia, ovvio non è Porthcurno Bay, ma i cottage sarebbero spaziosi e con rifiniture di pregio. Possiamo prendere un appuntamento o se preferisce posso anche portarcela adesso!», dice sfoderando ancora il suo sorriso.

«No, non voglio vedere altro, questo cottage è ideale. È proprio con le caratteristiche che mi piacciono e che stavo cercando!», puntualizzo io. «Quando facciamo il contratto d'affitto?»

Spalanca gli occhi.

«Mi dia il tempo di contattare il proprietario, per qualche giorno dovrebbe soggiornare in un hotel o in un B&B. Qui in zona ce ne sono un sacco...»

Scendiamo in giardino, Vincent prova a insistere nel volermi far vedere altre villette, ma io nulla, voglio questo.

«Ho deciso. Voglio questo cottage, prepari pure la locazione».

***

In paese Vincent insiste per offrirmi un caffè. Ci sediamo in un delizioso cafè che dà sulla spiaggia di Penzance, si sentono i gabbiani che stridono e mi soffermo a guardare un cormorano che con abilità cerca di pescare qualcosa.

Sulla spiaggia, una mamma e due bambine giocano divertite facendo volare un aquilone dai colori vivaci.

Qui è tutto talmente rilassante, diverso da Londra caotica e rumorosa già al mattino.

«Allora signorina Cennevan, cosa porta un'affermata scrittrice a venire qui in Cornovaglia e prendere in affitto un cottage? Voglia di cambiamenti?»

Lo guardo, non amo gli impiccioni e soprattutto se spera che gli confidi qualcosa è in errore.

«Non è plausibile aver voglia di mare, lunghe passeggiate sulla spiaggia, nessuno stress e un po' di sano relax con il mio fedele cagnolino?», gli domando io continuando a osservare la spiaggia.

«Ovvio, è ciò a cui ambiscono in parecchi, vedrà si innamorerà di Porthcurno Bay!»

Sorrido e alzandomi affermo:

«Devo ancora trovare un albergo... buona giornata Vincent e grazie, mi contatti appena avrà stilato il contratto d'affitto».

«Buona giornata signorina Cennevan, è stato davvero un piacere fare affari con lei».

Saliamo in macchina e cerco su Google gli Hotel nei pressi di Penzance sperando che abbiano una stanza disponibile considerata ancora la bassa stagione.

Dopo svariate telefonate in cui sembra che tutti gli alberghi siano ancora chiusi prima dell'inizio dell'alta stagione, o non gradiscano piccoli animali, o non abbiano camere disponibili, provo a dirigermi con la macchina a Porthcurno sperando di trovare qualche B&B non elencato nella lista di Google, magari non recentemente aggiornata.

Sto guidando quando vedo un cartello: *Spring House*.

Immediatamente svolto entrando nel viottolo sterrato che immagino porti proprio all'albergo o almeno lo spero.

La strada passa in una sorta di volta di alberi secolari e cespugli, procediamo lentamente anche perché non vorrei ritrovarmi con una ruota a terra.

«Tranquillo Wolf, troveremo un B&B delizioso dove poter trascorrere qualche giorno di relax», sussurro abbassando lo sguardo sul mio fedele amico.

La strada inizia a scendere e conduce in un delizioso giardino dove piante dai molteplici colori, alcune già in fiore, fanno da cornice a una piccola villetta in stile vittoriano imbiancata a calce.

Su parte della facciata si "arrampica" del glicine.

Alcune persiane sono chiuse, probabilmente in questa stagione gli ospiti non devono essere poi molti, spero solo che sia aperto.

Scendo con Wolf dall'auto, subito si percepisce il profumo del glicine misto a quello delle rose e delle ortensie; un lieve vento mi accarezza il viso e riesco a sentire il rumore del mare.

Mi avvicino e proprio dietro la casa vedo l'Oceano.

La vista è incantevole, l'albergo è proprio sul promontorio che domina tutta la spiaggia di Porthcurno.

Mi soffermo alcuni istanti a osservare le onde che lambiscono la spiaggia e già mi immagino a fare delle lunghe e corroboranti passeggiate a piedi nudi su quella distesa dorata. Sembra un sogno, adesso devo solo sperare di riuscire ad aggiudicarmi una camera, magari questo B&B è già aperto. Lentamente mi avvicino al portico.

4. Spencer

Sono impegnato a passare l'ennesima mano di tinta sulle imposte delle camere quando sento il rombo del motore di un'auto e il fruscio delle sue gomme sul vialetto in ciottoli.

Ecco che vedo fermarsi una Mini rossa, deve trattarsi senza ombra di dubbio di un turista o quantomeno non di una persona del luogo. Qui nessuno andrebbe in giro con una macchina del genere.

Ecco che vedo scendere dall'elegante macchina una ragazza che indossa un abbigliamento del tutto inappropriato: una gonna con una camicetta e dei tacchi che da queste parti si vedono soltanto sulle riviste patinate.

Mi chiedo cosa cavolo voglia, spero solo che non sia l'ennesima venditrice di aspirapolveri o aggeggi simili.

Scendo di sotto e uscendo dal giardino sul retro mi avvicino.

Sta osservando la spiaggia, con lei noto subito un piccolo cane. Avvicinandomi, esclamo:

«*Spring House* non è ancora aperta per questa stagione, se sta cercando una sistemazione deve andare altrove».

La ragazza si volta: non è molto alta nonostante le ridicole scarpe che indossa, è snella, ha dei lunghi capelli castani mogano che le cadono lungo la schiena, viso dai lineamenti delicati.

«Accipicchia mi ha proprio spaventato!», ribatte lei indugiando con lo sguardo sul mio volto.

Poi aggiunge:

«Stavo proprio cercando una camera, sembra che tutti gli alberghi e i B&B nei pressi di Penzance non abbiano disponibilità al momento oppure siano ancora chiusi».

«Lo immagino, soprattutto se ha intenzione di trovarne uno che ospiti anche il suo amico», puntualizzo chinandomi ad accarezzare il muso guardingo e un po' diffidente del suo cane, una sorta di incrocio tra un Fox Terrier e un Pomeranian Spitz.

«Dovrebbe provare al Cornish B&B, lì so che non fanno storie per ospitare piccoli animali domestici», suggerisco passandomi la mano sul mento.

«Ho telefonato ma non avevano alcuna camera disponibile e anche gli altri, trovati su Google nella zona, stanno facendo piccoli lavori di manutenzione stagionale come d'altronde, immagino, qua».

Poi, sorridendo, mi porge la mano:

«Io sono Peggy Cennevan, piacere».

«Piacere signorina Cennevan, io invece sono Spencer Mac Dorner, benvenuta a Porthcurno», le rispondo io voltandomi subito.

Ho un sacco di lavoro da fare e di certo non ho tempo da sprecare con questa petulante forestiera.

5. Peggy

Lo guardo posare per un istante il secchio della vernice sul vialetto per potermi stringere la mano: è alto, capelli leggermente scompigliati, occhi verdi, viso già abbronzato, lineamenti delicati, porta dei jeans scoloriti con qualche macchia di vernice qua e là e una camicia azzurra con maniche arrotolate.

Poi, limitandosi a dire uno scontroso: «Piacere signorina Cennevan, io sono Spencer Mac Dorner, benvenuta a Porthcurno», si volta e si incammina per il vialetto.

Io resto lì per qualche istante a guardarlo; devo ammettere che è stato davvero scortese, poteva quantomeno darmi qualche altra indicazione sugli alberghi della zona.

Quasi gridando gli dico:

«Arrivederci signor Mac Dorner».

Lui senza neppure voltarsi alza impercettibilmente la mano.

«Decisamente un gran villano!», dichiaro a Wolf che decide di marcare il territorio facendo l'ennesima pipì prima di risalire in auto.

Ripercorriamo il vialetto in direzione opposta, mi dispiace che anche qui non abbiano camere disponibili. Nonostante il suo proprietario, quella location mi piaceva molto, spero solo di trovare qualcosa per questi giorni.

***

Fermo la macchina vicino alla piazza centrale di Penzance e inizio a fare una serie di telefonate sempre sperando di trovare una camera.

Quando anche l'albergo più caro dell'intera regione mi risponde che non aprirà prima delle vacanze di primavera, inizio a pensare che dovremo proprio dormire in macchina.

Mi auguro soltanto che Vincent si brighi a preparare il contratto di locazione.

Affamata, mi incammino per le stradine in ciottoli pregustandomi almeno una *pasty* al cheddar e verdurine.

Trovare un ristorante che prepari le *pasties*, anche se in bassa stagione, si rivela piuttosto semplice a differenza degli alberghi.

Dopo aver girovagato per il piccolo e ordinato centro, appagata dall'ottima cena – anche se, per l'orario, a Londra l'avrei definita un aperitivo – risalgo in macchina con un Wolf ormai esausto.

Penso proprio che quantomeno per stanotte dovremo adattarci a dormire in macchina; in mattinata chiamerò subito Vincent sperando di convincerlo a darmi le chiavi del cottage anticipatamente rispetto al contratto di affitto.

Rispetto a questa mattina quando sono arrivata, adesso le temperature si sono abbassate.

Il vento soffia su tutta la costa e dei tuoni fanno pensare che un improvviso temporale mi voglia dare il benvenuto.

Percorro una strada a una sola corsia che risale lievemente il promontorio nella speranza di trovare una piazzola di sosta dove poter dormire un po'.

Sta iniziando a piovere, Wolf russa acciambellato sulla mia giacca; proseguiamo ancora sulla stessa strada quando lo sterzo si irrigidisce facendo lievemente sbandare la mia auto.

Accipicchia, non avrò mica investito qualche animale selvatico senza accorgermene?, penso provando ad accostare.

Scendo dalla mia Mini rossa, la pioggia adesso si è fatta più intensa, mi avvicino al cofano cercando di capire quale possa essere il problema e noto che una gomma è praticamente a terra.

Cavolo, neppure una delle protagoniste dei miei romanzi si è mai ritrovata con una gomma forata quando sta piovendo a più non posso e non ho neanche la minima idea da dove si cominci per mettere la ruota di scorta.

Apro il portapacchi quando vedo Wolf che furtivamente esce dall'auto.

«Wolf, fermati!», gli grido.

Il cane, forse impaurito dai tuoni, inizia a correre in mezzo alla strada.

«Wolf, Wolf! Vieni qui bello!», continuo io gridando.

Vedo dei fari proprio dalla direzione in cui sta correndo il mio cagnolino.

Inizio a correre come una pazza, spero solo che il conducente veda Wolf nonostante la pioggia.

La macchina si ferma inchiodando.

Chiudo gli occhi.

6. Spencer

Sto rientrando a *Spring House*, in paese sono riuscito a comprare tutto l'occorrente per poter continuare con la manutenzione del B&B.

Sta piovendo, la pioggia è piuttosto intensa e io guido con cautela procedendo lentamente per la scarsa visibilità quando vedo qualcosa correre in mezzo alla strada. Potrebbe essere un gatto o magari un tasso, subito freno facendo stridere le gomme e scendo dall'auto.

Un piccolo cane, estremamente spaventato, si è nascosto contro il paraurti del mio pick-up. Mi abbasso e lo prendo in braccio.

«Stai tranquillo, piccolo», ripeto più volte all'animale.

Mi volto e, completamente bagnata da capo a piedi, vedo una ragazza avvicinarsi; probabilmente il cane dev'essere suo.

«Ma cosa aveva intenzione di combinare? Stavo per buttarlo sotto! Deve fare più attenzione!», la rimprovero io.

Alzo lo sguardo e di fronte a me, con i lunghi capelli mogano completamente zuppi che le scivolano sulla schiena, vedo la ragazza insistente di stamattina.

Si avvicina per riprendere il suo cane che, impaurito, infila il musetto sotto al suo braccio.

Non posso fare a meno di confessare:

«Ancora lei? Non doveva trovare una camera?»

La ragazza mi osserva riducendo gli occhi a due fessure, mi scruta infuriata.

«Lo avrei fatto molto volentieri ma a quanto pare in questa sorta di landa desolata non avete alcun genere di camera disponibile».

Poi aggiunge:

«Già, forse lei non lo sa, ma uno dei miei tanti passatempi è proprio quello di passeggiare sotto la pioggia e i tuoni mentre impazza un temporale e ambivo anche a far scappare il mio cane! Ah, quasi dimenticavo, mi diverte molto anche dormire in auto ma, come lei stesso può vedere, una gomma è forata. Tutte cose che amo alla follia!», sbraita lei quasi gridandomi in faccia.

Mi metto a ridere divertito.

«Adesso cos'ha da ridere?», mi domanda.

Sbuffo e, avvicinandomi alla sua sofisticata automobile, esclamo:

«Salga in macchina che le do una mano ad accostare. Non può certo restare qua».

«Chiamerò un meccanico!», mi risponde aggiustandosi il maglione ormai fradicio.

Mi volto incrociando i suoi occhi.

«Non troverà alcun meccanico quindi, non se lo faccia ripetere, mi dia retta, salga a bordo».

Sbuffando segue quanto le ho detto e con alcune manovre riusciamo a sistemare meglio la macchina.

«E adesso cos'ha intenzione di fare? Vuole restarsene lì? Venga, non può dormire in macchina in queste condizioni né tantomeno tornare in paese a piedi».

La guardo prendere dal sedile posteriore un trolley.

«Farò come mi ha detto!», esclama stringendo tra le braccia il suo simpatico amico.

7. Peggy

Penso proprio che dovrò ascoltarlo, non posso di certo restare qua.

Tenendo Wolf in braccio lo seguo nella sua auto, un pick-up che sono solita vedere solo nei film americani e che in genere è di proprietà di qualche serial killer.

«Credo proprio che dovrò ospitarla a *Spring House*, non trova?», mugugna distogliendomi da questi miei pensieri e voltandosi appena a trovare il mio sguardo

«Beh, se non le arreco troppo fastidio mi farebbe davvero piacere».

Ripercorriamo la strada immersa nel verde, continua a piovere.

«Allora, è qui per una vacanza? Ancora non se ne vedono di turisti, anche se il mare e la spiaggia sono un incanto».

«No, nessuna vacanza. Sono qui per lavoro».

Poi puntualizzo mordicchiandomi nervosamente un'unghia:

«Sono una scrittrice, sto lavorando al mio nuovo romanzo».

Lui si mette a ridere.

«Quindi, come immaginavo, potremmo dire che è qui in vacanza!»

Lo guardo in cagnesco.

«Si direbbe che il mio lavoro sia proprio scrivere signor Mac Dorner, quindi no, non sono qui per una vacanza!»

Che insolente!, penso tra me.

«Come preferisce, signorina».

«Cennevan, Peggy Cennevan», ribatto io innervosita.

Poi aggiungo:

«*Amore e altri disastri* e *Un dipinto per innamorarsi* le dicono niente?»

Passandosi una mano sul mento si mette ancora a ridere.

«Mi dispiace signorina Cennevan ma no, quelli che deduco possano essere alcuni dei suoi capolavori, non mi dicono assolutamente niente».

Spazientita proseguo:

«Pensavo che romanzi rimasti nelle classifiche nazionali e internazionali per mesi fossero letti anche qua tra spiagge sconfinate battute dal vento. Ma, a quanto pare, sono in errore».

Mi volto, Wolf sta dormendo su quella che immagino essere la sua giacca.

Svoltiamo nel vialetto alberato che conduce a *Spring House*, sta smettendo di piovere.

Prendo la shopper e, insieme a Wolf, lo seguo all'ingresso.

La porta si apre su un piccolo salotto dai toni pastello di recente pittura, un divano grigio mélange dall'aspetto comodo è davanti al camino e alle sue spalle svetta un'imponente libreria con svariati tomi. Si sente l'odore della vernice fresca.

Mac Dorner prende una chiave.

«Un istante che le sistemo una stanza; come sa, siamo ancora chiusi, ma stasera sto facendo uno strappo alle regole».

Mi siedo sul divano, comodo come immaginavo, e prendo lo smartphone per dare uno sguardo alle e-mail.

«Venga, la camera è al piano di sopra», mi dice lui facendomi sobbalzare.

Un po' in imbarazzo, azzardo:

«Ho scordato la valigia nella sua auto, dovrei proprio andare a prenderla».

«Non si scomodi, per stasera ha combinato fin troppi pasticci. Vado io», esclama lui sbuffando.

Lo osservo rientrare col mio ingombrante trolley e lo seguo su per le scale. Sto quasi per inciampare, alcune assi del parquet scricchiolano, nel corridoio noto alcuni secchi di pittura.

«Ecco, questa è la sua stanza», dichiara aprendo la porta.

La camera, anch'essa sui toni pastello, è di una sfumatura leggera di verde: il letto, che immagino sia un king size, ha una bella trapunta fiorita, l'armadio e la toeletta sono come tutta la camera, e l'intero albergo, su uno stile shabby chic. Non immaginavo che Mac Dorner avesse gusto per l'arredamento.

Il B&B, devo ammettere, è molto carino e di classe.

«Nell'armadio le ho messo anche un plaid, sul lavandino invece alcuni prodotti per la doccia, shampoo e dentifricio anche se immagino che, come tutte le donne, abbia già con lei creme e quant'altro».

Lo guardo di traverso, questo Mac Dorner proprio non lo sopporto, non fa che irritarmi però, se non mi avesse dato una mano, adesso, starei dormendo tutta bagnata sugli scomodi sedili della mia Mini.

«Grazie davvero, è stato molto gentile. Non era tenuto a darmi una camera prima dell'apertura stagionale».

Si passa ancora la mano sul viso dove affiora un lieve accenno di barba di qualche giorno.

«Non sono abituato a ignorare una donna nei guai, anche se, cara signorina Cennevan, non conosco nessuno dei suoi best-seller*!*», esclama con un sorriso ironico.

«Buonanotte», aggiunge poi sulla porta prima di chiuderla alle sue spalle.

Guardo Wolf che sta già dormicchiando sul tappeto.

Esausta vado a farmi una doccia.

***

Quando mi sveglio decido di telefonare subito a Vincent ma non risponde, probabilmente sarà già alle prese con qualche cliente.

Mi avvicino alla finestra e apro le imposte.

La vista è pazzesca: si può vedere tutta la costa, le acque cristalline del mattino lambiscono la spiaggia di Porthcurno con i suoi colori dorati.

Qua e là si vedono i gabbiani giocare. Mi soffermo alcuni istanti a respirare il profumo del mare misto a quello delle piante in giardino. Accidenti, qua è davvero tutto così delizioso, rilassante, sembra quasi di essere in un'altra epoca.

Wolf attira la mia attenzione:

«Sì, lo so che vuoi fare una passeggiata, arrivo!», gli dico prendendo un golf e il suo guinzaglio.

In giardino Wolf corre scodinzolando, fiutando probabilmente qualche coniglio selvatico.

Vedo Mac Dorner intento a sistemare la persiana del salotto, mi avvicino.

«Buongiorno, Spencer. Volevo ancora ringraziarla, ha il numero di qualche meccanico per la sostituzione della ruota?»

Proseguo nervosa:

«Spero di trovare anche un albergo, non vorrei arrecarle ancora disturbo».

Si volta, noto che ha il viso imperlato di sudore.

«Nessun disturbo, in quanto alla macchina, la ruota posso cambiarla tranquillamente io, direi che ho una certa esperienza. Invece, per quanto riguarda la stanza non penso che ne troverà una disponibile. Se si tratta solamente di qualche giorno, se le va, può restare».

Poi aggiunge:

«In veranda può fare colazione...»

Non so che dire, è una proposta davvero cortese: il suo albergo è delizioso per non parlare della vista sulla costa.

«Davvero potrei restare? Rimarrei volentieri, ovviamente deve dirmi quanto spenderei per qualche giorno fino a che non mi daranno le chiavi di casa».

Mac Dorner solleva lo sguardo dalla cassetta degli attrezzi e stupito mi domanda:

«Chiavi di casa? Per caso ha deciso di trasferirsi qua?»

«No, non ho detto questo. Ho solo affittato un cottage per lavorare in relax al mio nuovo lavoro».

Sorride sprezzante.

«Quindi signorina Cennevan per qualche tempo la vedremo qua in giro? Mi auguro solo che la smetta di mettersi nei guai».

Riprende a lavorare alla persiana, quando lo sento dire:

«Gliel'ho appena detto, non mi dà fastidio, se vuole può restare. Come vede devo fare dei lavoretti, l'albergo sarebbe ancora chiuso quindi non mi deve niente. Lo prenda come una sorta di benvenuto».

Poi ridendo aggiunge:

«Vorrà dire che mi regalerà una copia autografata del suo nuovo romanzo. Vada a fare colazione, i pancake vanno mangiati appena cotti!»

«Allora grazie davvero anche se, le ripeto, vorrei pagare la mia stanza».

«Assolutamente, no! Se vuole può restare ma non mi deve niente. A quanto vedo, signorina Cennevan, è anche assai testarda. Su, adesso vada a mangiare qualcosa».

***

La veranda dà su un piccolo giardino con alberi da frutto e vasi di ortensie e di rose canine; vi è anche un dondolo dall'aspetto "invitante" e alcune sdraio dove mi potrei tranquillamente immaginare a prendere il sole leggendo una scanzonata rivista di gossip.

Dev'essere stata ritinteggiata da poco, si sente ancora l'odore della vernice.

Mi siedo a un tavolino apparecchiato con perizia dove trovo alcuni pancake farciti con sciroppo d'acero, una tazza di caffè e un succo d'arancia.

Accipicchia sono davvero deliziosi, devo ammettere che Mac Dorner è piuttosto abile in cucina.

Wolf divertito giocherella con un legnetto che ha trovato in giardino.

Sento squillare il cellulare, è Vincent:

«Buongiorno signorina Cennevan, ho trovato alcune sue telefonate ma ero con un cliente. Mi dica».

«Oh, buongiorno Vincent, l'avevo chiamata per domandare se potessi avere le chiavi del cottage prima della regolare locazione».

Sento alcuni rumori dall'altro lato del telefono, probabilmente è sempre in giro.

«Non penso di poterle fare questo favore, fosse per me le avrei già dato le chiavi di casa ma il proprietario è piuttosto rigoroso».

Dopo alcuni istanti aggiunge:

«Allora, in che albergo alloggia?»

Un po' in imbarazzo rispondo:

«Ehm, molti alberghi come può immaginare sono chiusi, altri invece non avevano stanze disponibili e poi non gradivano i piccoli animali».

Lui insiste:

«Ma ha trovato qualcosa?»

È davvero un impiccione.

«Sono a *Spring House*, allora Vincent aspetto una sua e-mail per il nostro incontro. Buona giornata», chiarisco riattaccando prima che possa farmi altre domande.

Proseguo la mia colazione quando inizia a delinearsi nella mia immaginazione una trama per il mio nuovo romanzo.

Sapevo che la Cornovaglia mi avrebbe dato una mano col lavoro.

Mi affretto ad andare in camera per prendere il portatile e poter così iniziare subito a scrivere, quando trovo Mac Dorner indaffarato a rifarmi il letto.

8. Spencer

I lavori da fare sono ancora parecchi e avere questa petulante scrittrice tra i piedi potrebbe rallentare un po' il mio ritmo ma non potevo di certo ignorare una ragazza nei guai.

Sono salito nella sua stanza e, come sono solito fare con i miei ospiti, sto dando una sistematina alla sua camera.

Devo ammettere che sembra anche piuttosto disordinata: i vestiti sono messi alla rinfusa nel trolley aperto sul tappeto, sulla toeletta diversi appunti e sul letto scorgo il cellulare.

Alle mie spalle sento:

«Accidenti mi ha spaventato! Non immaginavo di trovarla qua! Potevo tranquillamente rifarmelo da sola il letto».

Poi aggiunge:

«Ero venuta a prendere il PC, volevo lavorare un po'!»

Mi volto appena quel tanto da incrociare per un istante i suoi occhi:

«Stamattina dovrei sistemare il prato però, se vuole, potrebbe scrivere nel giardino che dà sulla veranda. È una mattinata davvero incantevole, il dondolo con i suoi morbidi cuscini è molto rilassante».

La osservo chinarsi e prendere dal trolley il portatile, distrattamente si morde il labbro. Sta uscendo quando sono io a dirle:

«Potremmo passare a riprendere la sua auto dopo che avrò fatto un po’ di giardinaggio».

In imbarazzo si limita a rispondere:

«Grazie davvero».

Un timido sorriso spunta sulle sue labbra, resta qualche istante lì sulla porta a guardarmi e poi voltandosi esclama:

«Allora buon lavoro, signor Mac Dorner».

Non riesco a replicare che la sento scendere le scale.

Per tutta la mattina lavoro in giardino, le piante e gli alberi necessitavano proprio del fertilizzante per non parlare del prato.

È una mite giornata di inizio primavera, il vento è leggero e si respira l'odore del salmastro misto a quello delle rose selvatiche.

Vado in cucina per prepararmi una limonata, dalla finestra scorgo quella buffa scrittrice intenta nel suo lavoro. Mi ritrovo a guardarla: è seduta sul dondolo, si è tirata su i lunghi capelli con una penna e sta scrivendo, completamente assorta nel suo lavoro.

Devo ammettere che se non fosse tanto petulante potrebbe anche essere un ospite gradevole.

Ma che dico? Miss Cennevan è tutt'altro che gradevole.

9. Peggy

Il dondolo, proprio come ha detto Mac Dorner, e questo giardino con le sue piante e il rumore del mare in sottofondo, sono ideali per lavorare.

Il sole riscalda già e, a differenza di Londra, qui è sufficiente un golfino leggero.

Wolf dopo aver scorrazzato contento per tutto il prato dando la caccia a qualche allodola, si è appisolato sotto al tavolo.

Sto ancora scrivendo, intenta a delineare la protagonista, quando dalla veranda vedo Mac Dorner che si avvicina.

Indossa un jeans kaki, delle sneakers sportive e una camicia; ha i capelli ancora bagnati, probabilmente dopo il giardinaggio avrà fatto una doccia.

«Il dondolo le ha conciliato le idee per la stesura del suo romanzo?», mi domanda sedendosi sulla poltroncina in vimini.

Sollevo lo sguardo dal PC e, con il riverbero del sole, noto che i suoi occhi sono di un colore incredibilmente verde, quasi turchese, che ricorda parecchio quello del mare a Porthcurno Bay.

«Ho seguito la sua dritta, Spencer, come vede il suo dondolo è stato d'aiuto con la scrittura», lo informo io sorridendo.

Riesco a sentire il suo profumo, probabilmente un'acqua di colonia al limone con una nota speziata.

«Allora che ne dice di andare a riprendere la sua auto?»

«Quando preferisce», gli rispondo in imbarazzo.

Non amo dare fastidio alle persone.

Wolf va subito a reclamare una carezza, cosa assai rara con un estraneo per un diffidente come lui.

«Direi di preparare qualcosa per pranzo e poi passare a sistemare la sua macchina».

Solleva lo sguardo, i nostri occhi si incrociano per qualche istante.

«Un toast al Cheddar locale e verdurine con uova alla coque della mia Adelita potrebbero piacerle o preferisce un hamburger vegano?», mi domanda passandosi la mano sul mento.

«Un toast ma a patto che possa, quantomeno, pagare il pranzo».

Lui si alza e continuando ad accarezzare il pancino di Wolf bofonchia quasi ridendo:

«Gliel'ho già detto, *Spring House* è ancora chiusa quindi non le chiederò niente».

Lo osservo entrare in veranda: è davvero testardo.

***

Siamo seduti al tavolino appena fuori la veranda, il sole e un leggero vento ci accarezzano il viso, e noi stiamo assaporando i deliziosi toast di Spencer.

Lo guardo sorseggiare un calice di vino e devo ammettere che, nonostante il suo carattere a dir poco odioso, è indubbiamente un uomo affascinante.

«Se non le arreco troppo fastidio dovrei approfittare ancora di lei e di *Spring House*», intervengo d'un fiato.

Poi, sorseggiando il mio succo di carote, ricco di antiossidanti, puntualizzo:

«Il proprietario del cottage non ha intenzione di darmi le chiavi in anticipo, si dice che sia piuttosto rigoroso».

«Nessun fastidio e poi, per piacere, la smetta di parlarmi come se fossi il suo capo, Peggy».

Poi mi chiede:

«Perché hai scelto proprio la Cornovaglia e Porthcurno per dedicarti al tuo nuovo romanzo?»

Sollevo lo sguardo dal toast e, incontrando quegli occhi tanto intensi, rispondo:

«Vivo a Londra da sempre e onestamente non potrei mai immaginare di abitare altrove. Le sue vie sempre caotiche a qualunque ora, i suoi parchi dove spesso mi ritrovo a gustarmi un caffè seduta su di una panchina in compagnia di qualche scoiattolo che reclama qualche nocciolina, il mercato del sabato a Portobello dove mi diverto a confondermi tra i turisti per poi fermarmi a gustare un cupcake a Notting Hill...»

Noto che mi sta ascoltando attentamente continuando a sorseggiare il suo calice di vino. Così, aggiungo:

«Amo Londra, però, per scrivere questo nuovo romanzo dovevo proprio prendermi una pausa da tutto questo, cambiare un po', potermi rilassare facendo delle lunghe passeggiate sulla spiaggia, poter lavorare in giardino con il sole che mi riscalda e non sotto le nubi perenni della città. Quindi, Spencer, è proprio per questo che mi sono innamorata di quell'adorabile cottage che si affaccia su Porthcurno Bay».

Posa il calice sul tavolino e chinandosi ad accarezzare Wolf gli sussurra:

«Immagino che anche tu abbia gradito parecchio, vero piccolo?»

Poi trovando ancora i miei occhi esclama:

«Io invece non potrei che abitare qua: il mare, il sole, la spiaggia, questo giardino!»

Per qualche istante nessuno dice nulla, i suoi occhi indugiano ancora sul mio viso, io mi mordo nervosamente il labbro abbassando lo sguardo.

«Penso proprio che dovremmo andare a riprendere la tua auto», mi dice poi alzandosi.

10. Spencer

Dovevo immaginare che riprendere la macchina di questa ragazza impertinente si sarebbe rivelato tutt'altro che semplice. Arrivati alla sua auto, e spostate tutte le valigie per poter tirare fuori dal bagagliaio la ruota di scorta, la "rinomata" scrittrice si ricorda che, reputandola inutile nonché ingombrante, aveva deciso di toglierla e di riporla direttamente in cantina.

L'ho sempre pensato: le donne e i motori sono agli antipodi!

Stiamo andando in paese sperando di trovare una ruota per quella sua assurda Mini.

«Possibile togliere la ruota di scorta dal bagagliaio? Non ti sei domandata il perché qualcuno ce l'avesse messa? Immagino di no, ho sempre pensato che le donne non dovrebbero guidare!»

Spazientita si volta:

«Senti forse aver messo la ruota in cantina non è stata una grande idea ma la vuoi smettere di sgridarmi? Non sono né tua figlia né tua sorella! Ferma la macchina che vado a piedi. In queste lande sperdute ci saranno pure dei meccanici disposti a darmi una mano!»

Non posso fare a meno di ridere; devo ammettere che la signorina risponde sempre per le rime.

«A piedi? Trovare una ruota per la tua macchina snob sarà un pasticcio! E soprattutto non penso che riusciresti a cambiarla», le ricordo.

«Già, perché voi qua siete tutti dei surfisti abbronzati con i capelli schiariti dal sole che se ne vanno in giro con degli assurdi pick-up o con furgoncini hippy della *Volkswagen* per le vostre tavole da surf!», puntualizza lei con le guance arrossate dalla rabbia.

Scuoto la testa nascondendo un sorriso.

Devo ammettere che nonostante i guai che riesce a combinare, ha una spiccata abilità nel farmi ridere. Sposto appena lo sguardo sul suo viso, sta continuando a ripetere cose prive di qualsivoglia senso.

«Dovevo immaginare che in questi paesini battuti dal vento fosse un problema anche reperire un meccanico in grado di cambiare una ruota, qui sembra di essere nella preistoria!»

«Potresti sempre decidere di tornare a Londra, forse gli standard di una rinomata scrittrice di città non possono adattarsi a quelli della Cornovaglia», la punzecchio io.

Si volta e, riducendo gli occhi a due fessure, esclama:

«Non ho detto che voglio rientrare a Londra mio caro Mac Dorner ma semplicemente che mi auguro di poter sistemare la mia macchina».

Fermo l'auto sul marciapiede.

«Aspetta qua, vado a vedere se Ivan ha una ruota per la tua Mini».

11. Peggy

Proseguiamo su una strada scoscesa immersa nel verde, penso che se non avesse questa assurda macchina potremmo forare.

Lo osservo, è imbronciato, e nervosamente si passa la mano sulla lieve barba appena accennata di qualche giorno.

Ferma l'auto.

«Aspetta qua, vado a vedere se Ivan ha una ruota per la tua Mini», mi dice scendendo e incamminandosi in una sorta di vecchia autofficina dove alle pareti immagino già qualche calendario osé di *GQ*.

Mi ha davvero fatto arrabbiare, praticamente non ci conosciamo neppure e mi ha rimproverato come se fossi sua sorella, sua figlia o addirittura la sua ragazza.

La ragazza di Spencer? Sono certa che non ce l'abbia, con quei suoi modi rudi e villani può stare solo con le capre!, penso tra me guardando la campagna.

Il sole inizia a scaldare, con le guance arrossate scendo dal pick-up.

Sento dei rumori, mi volto e vedo Spencer uscire dal negozio con una ruota tra le braccia.

«Come immaginavo! Ivan ha dovuto cercare in tutto il magazzino per trovarla, sai la tua auto non è molto comune da queste parti».

Non dico niente, ripercorriamo la solita strada e, giunti all'auto, con abilità Spencer riesce a sostituire la ruota della mia Mini.

«Grazie, sei stato molto gentile a darmi una mano», sono costretta a dire.

Per un istante mi ritrovo a fissare quegli occhi verdi tanto intensi, poi aggiungo:

«Penso di passare in paese per fare un po' di shopping».

«Tranquilla fai ciò che preferisci, io adesso torno a *Spring House*, devo ancora sistemare alcune persiane. Da queste parti, con il salmastro e il vento, si deve fare sempre molta manutenzione».

Lo osservo salire sul pick-up e immettersi nella piccola strada alberata.

***

È un pomeriggio tiepido, sembra quasi estate qua, si sente l'odore del mare e quello delle piante che stanno sbocciando.

Penzance è a poche miglia da *Spring House*; trovare un parcheggio per l'auto è davvero semplice. L'intera strada che porta al centro è praticamente deserta.

Wolf e io ci incamminiamo gustandoci questa passeggiata pomeridiana.

I negozi sono davvero deliziosi: uno vende porcellane con paesaggi locali dipinti a mano dove compro una mug per le mie colazioni, da un altro invece esco con delle stampe raffiguranti dei giardini nelle varie stagioni e una tela, tutta sui toni pastello, con il porto di Saint Ives che subito immagino nella mia cucina a Londra.

L'agenzia immobiliare, dove lavora Vincent, è invece già chiusa.

Mi soffermo, poi, ad ammirare la vetrina di una piccola pasticceria: macaron di diversi colori, ciambelle con glassa colorata, un'alzatina con cupcake decorati con un *icing* rosa e verde e altri dolcetti ornati con pasta di zucchero.

Ovviamente non posso che entrare e, intento a chiacchierare con la ragazza del negozio, vedo Vincent.

«Oh, Peggy, anche lei aveva voglia delle delizie di Astrid? Sa, vengono qua da tutta la Cornovaglia per i suoi cupcake all'albicocca e granella mista», mi dice sfoderando il suo sorriso da pubblicità di dentifrici.

«Passando sono rimasta incantata da questa vetrina», confesso fissando una sacher dall'aspetto gustoso.

Poi chiedo:

«Mi domandavo se fosse riuscito a parlare con il proprietario del cottage...»

Vincent prende il suo sacchetto Tiffany e, infastidito, risponde:

«Le avevo già accennato che il proprietario non avrebbe gradito consegnare le chiavi di casa in anticipo».

«Non si preoccupi allora, buona serata», taglio corto io.

«Buona serata, Peggy. Appena ho il contratto la chiamo».

Poi, sulla porta, si volta.

«Mi chiedevo se le andava di fare una chiacchierata con me in modo meno formale, magari di fronte a un buon aperitivo...»

Sorrido.

«Grazie ma sono esausta e poi vorrei lavorare un altro po' al mio nuovo romanzo. Ma possiamo certamente utilizzare un tono più confidenziale!»

Mi volto, lasciandolo quasi senza parole.

Esco dalla pasticceria soddisfatta con una sacher che ho intenzione di regalare a Spencer per ringraziarlo della sua cortesia e una confezione mista di macaron e cupcake.

Passeggio un altro po' per le vie del centro assaporando questa mite serata e poi decido di tornare alla mia auto per rientrare a *Spring House*.

Sono nella strada dove avevo parcheggiato ma non vedo la mia Mini... forse mi sono confusa con tutte queste viuzze simili tra loro?

Guardo attentamente e no, la strada è proprio questa.

Riconosco infatti una palazzina con un bel terrazzo dove dei vasi di ortensie rosa avevano attirato poco fa la mia attenzione.

Poi, sul lato opposto della via, noto un cartello un po' coperto dai rami di un albero di magnolia dove, avvicinandomi, posso notare il divieto di sosta a giorni alterni per la pulizia della strada.

Merda e adesso che faccio? Immagino che abbiano portato la mia auto in un deposito e che dovrò pure pagare una cauzione per riaverla indietro. Ma ciò che mi dà più fastidio, è che dovrò ancora chiedere a Spencer di venire a soccorrermi.

Non sapendo che fare mi ritrovo a digitare il numero di *Spring House*.

Dopo alcuni squilli, con mio grande sollievo, sento:

«*Spring House*, buonasera, sono Spencer, come posso esserle utile?»

Nervosa azzardo:

«Spencer, sono io, Peggy».

«Peggy? Perché mi stai telefonando? Non avrai mica forato di nuovo?», mi chiede lui ridendo.

Con le guance rosse per l'imbarazzo rispondo:

«No, tranquillo, non ho quel genere di problema...»

Faccio una pausa e puntualizzo:

«L'auto è, proprio, sparita!»

12. Spencer

Sono impegnato a tinteggiare le imposte della sala da pranzo quando sento squillare il telefono. Strano, non aspettavo nessuna chiamata, magari stanno già iniziando a telefonare per delle prenotazioni.

Non faccio in tempo a rispondere che dall'altro capo del telefono riconosco subito il mio interlocutore.

«Spencer... sono io, Peggy».

Mi domando cos'altro abbia combinato.

«Peggy? Non dirmi che hai forato di nuovo!», la canzono io.

Un po' in imbarazzo esclama:

«No, tranquillo, non ho quel genere di problema...»

Fa una piccola pausa e poi aggiunge:

«L'auto è, proprio, sparita!»

«Cosa? Ma che stai farneticando? Vuoi dire che qualcuno te l'ha rubata? I furti qua sono pure rari, mi sembra strano...»

Dall'altro lato del telefono non sento niente.

«Ehi, sei ancora lì?»

Tutto d'un fiato esclama:

«Nessun furto, tranquillo! Penso piuttosto di aver messo la Mini in divieto di sosta e che il carroattrezzi l'abbia portata via... non avevo notato il cartello dello spazzamento della strada».

Mi passo la mano sul viso, non posso credere che abbia combinato l'ennesimo pasticcio.

«Come puoi non aver visto il cartello? Non ti è passato in mente che se la strada era deserta ci fosse un perché? Tu, Peggy, vuoi davvero farmi impazzire!»

Sospiro.

«Dai, dimmi dove sei che passo a prenderti».

«Mason Street».

«Aspetta lì e, per favore, non combinare altri guai. Sempre che tu ci riesca!»

Sto per riattaccare quando sento:

«Grazie, non so davvero come ringraziarti...»

Non replico, mi limito a riagganciare.

A quanto pare gli infissi dovranno attendere, prendo le chiavi del pick-up e mi immetto nella strada principale.

Non posso fare a meno di pensare a quanto Miss Cennevan sia un'autentica combinaguai, da quando è arrivata a Porthcurno non fa altro che combinare disastri.

Non so perché, ma mi ritrovo ancora a sorridere.

13. Peggy

Mi siedo su una panchina, il sole riesce ancora a scaldare il mio viso, si è alzato un leggero venticello che riesce appena a scompigliarmi i capelli; in sottofondo soltanto lo stridio dei gabbiani e qualche cane che abbaia nei giardini vicini.

Se non fosse per la macchina questo sarebbe decisamente un pomeriggio delizioso e rilassante, assai differente dai ritmi caotici di Londra a cui sono abituata.

Wolf sta sonnecchiando seduto sulla panchina con il musetto sulla mia coscia.

Poi sento il rumore di un'auto. Mi alzo e vedo il pick-up di Spencer che si sta avvicinando.

Non oso immaginare tutti i suoi rimproveri: indubbiamente gli sto dando parecchio fastidio con questo mio soggiorno a *Spring House*.

Sofferma la macchina, dal ghigno mi sembra già arrabbiato, sta pure borbottando qualcosa tra sé.

Prendo Wolf in braccio per non svegliarlo e timidamente mi avvicino alla sua auto.

«Grazie davvero per essere venuto a prendermi ma, come puoi vedere, il cartello è ricoperto quasi completamente da quei rami», lo indico sedendomi.

Poi, prima che possa cominciare a brontolarmi, per cercare di addolcirlo un po', o almeno spero, gli porgo il sacchetto color Tiffany della pasticceria.

Lui mi guarda con fare interrogativo:

«E questo cos'è?»

«Avevo comprato un dolce per ringraziarti ma a quanto pare continuo a essere in debito con te».

Accende la radio, stanno passando *Flightless Bird, American Mouth,* era da tempo che non la sentivo.

Spencer si volta e, differentemente da come pensavo, mi sussurra:

«Non dovevi comprare niente, mi ha fatto piacere aiutarti. Spero solo che il deposito non sia già chiuso».

Per alcuni istanti nessuno dice niente, ascoltiamo la radio e il dolce russare di Wolf che dorme tranquillo sulla mia shopper.

Arriviamo al deposito ma, ovviamente, non è aperto.

«Accidenti, da queste parti potreste anche, di tanto in tanto, potare i rami, se non fosse stato per quell'albero adesso avrei ancora la mia auto!», esclamo togliendomi il maglioncino per il caldo.

Noto lo sguardo di Spencer che per un istante indugia sulla canottiera attillata che lascia poco spazio all'immaginazione.

Sento le guance arrossarsi.

«A quanto pare dovremo rimandare... piuttosto, pensavo di fare del tacchino sul grill in giardino, è una serata mite e poi, quando aprirò *Spring House* e inizieranno ad arrivare i turisti, non potrò di certo gustarmi una tranquilla cena all'aperto».

Si passa la mano sul mento, ha la pelle liscia, dev'essersi fatto la barba da poco e posso addirittura percepire l'odore del suo after-shave.

Poi, aggiunge:

«Signorina Cennevan, ricordati che è un onore avere *Spring House* tutta per te!»

Sorridendo rispondo:

«Lo immagino, il tuo B&B è incantevole! Probabilmente lo sceglierei pure io per una vacanza».

Ridendo, aggiungo:

«Se non fosse per il proprietario che è un po' scontroso!»

Volta lo sguardo ed entrambi ci mettiamo a ridere.

***

In camera, vado subito a farmi una doccia.

Il bagnoschiuma offerto dal B&B ha proprio lo stesso profumo di Spencer, penso prendendo poi dal trolley un paio di jeans, una maglietta e uno dei pochi golf che non è troppo spiegazzato.

Mi ritrovo, nervosa, davanti allo specchio della toeletta a truccarmi. Mi chiedo perché, si tratta solo di una grigliata in giardino con un ragazzo che praticamente conosco appena e che per di più non vanta alcuna qualità che apprezzo in un uomo.

Mac Dorner è scontroso e poco cortese anche se mi spiace ammettere che ha in sé qualcosa di estremamente affascinante.

***

Quando scendo in giardino lo vedo impegnato a cuocere il tacchino sul grill, l'odore è particolarmente invitante.

Mi avvicino, sul tavolo sotto al portico della veranda noto due calici, una bottiglia di vino rosso e alcuni stuzzichini.

Spencer mi scruta da capo a piedi poi, sorridendo, allunga un pezzetto della nostra cena a Wolf che, soddisfatto, si rifugia sotto al dondolo per rosicchiarlo.

«Qui è davvero tutto così incantevole e poi il rumore delle onde che si infrangono sulla spiaggia è qualcosa di magico. Penso che potrei pure iniziare ad abituarmici e, perché no, ad amare tutto questo...», gli confido sedendomi su una poltroncina in vimini.

«Difficile non amare Porthcurno e la sua spiaggia», puntualizza.

Spencer stappa poi la bottiglia e mi versa un po' di vino.

Solleva il calice e, con quel suo sorrisetto malizioso, esclama:

«Al tuo nuovo romanzo, Peggy, e alla tua avventura in Cornovaglia!»

Poi, ridendo, aggiunge:

«Anche se mi auguro che per un po' tu decida di non combinare altri guai».

Facciamo tintinnare i nostri calici.

«E ovviamente a *Spring House* e alla sua nuova stagione», aggiungo io.

Cominciamo a mangiare, il nostro tavolo è rischiarato solo da una catenina di lampadine al led che si arrampica tra i rami degli alberi.

L'atmosfera è quasi surreale, sembra di essere in una di quelle location che si vedono nelle sdolcinate commedie americane o in quelle preparate ad arte da meticolose wedding planner alla moda.

Già, mi torna in mente che avevo contattato le sorelle Chester, rinomate organizzatrici di matrimoni, per avere dettagli sul loro lavoro perché pensavo proprio di prendere spunto dalla loro professione per la protagonista del mio nuovo romanzo.

«Mi piace davvero molto questa atmosfera, è quasi magica. Sai, mi ha anche fatto venire in mente qualche idea per il mio libro», intervengo d'un tratto.

«Accidenti, quindi contribuirò alla stesura di un classico moderno della letteratura inglese?», mi canzona lui.

«Davvero spiritoso, vorrà dire che ti menzionerò quantomeno nei ringraziamenti!»

Si avvicina.

«Signorina Cennevan, mi pare doveroso, ho tolto te e la tua Mini dai pasticci molto spesso!», mi sussurra strizzandomi l'occhio.

Sorseggiamo quel vino intenso che, per i miei gusti, dev'essere di una gradazione un po' troppo alta.

Si è alzato un leggero venticello, mi stringo nel golf, Spencer entra in casa per prendere la sacher che avevo comprato alla pasticceria in paese.

Devo ammettere che, per adesso, è stata una serata gradevole.

«Ha un aspetto davvero invitante questo dolce. Ho notato dal sacchetto che lo hai comprato da Astrid. La sua pasticceria è rinomata in tutta la costa. In molti si affidano a lei anche per matrimoni e altri eventi», puntualizza tornando al tavolo.

Mi porge una fetta piuttosto abbondante di cui preferisco ignorare il conteggio delle calorie; non perché sia una fanatica della linea ma per costituzione tendo facilmente a mettere su qualche chilo quindi, diciamo, faccio attenzione a ciò che mangio.

Lui, notando che indugio qualche istante a osservare il dolce prima di cominciare ad assaporarlo, ridendo mi dice:

«Non dirmi che non hai intenzione di mangiarlo tutto! Non sarai pure tu fissata con quelle ridicole diete? Non capisco come fate a non accorgervi che noi uomini preferiamo avere qualcosa da guardare e... non solo».

Notando i suoi occhi posarsi sulla scollatura del mio cardigan, sento le guance arrossarsi per l'imbarazzo.

«Come avrai notato non sono una modella di *Victoria's Secret* e, per tua informazione, non ho intenzione di lasciartene neanche un morso».

«Così mi piaci, signorina Cennevan».

Indubbiamente questa è un'autentica delizia di pasticceria, penso tra me assaporando il morbido pan di spagna farcito con una delicata marmellata d'arancia amara, decorato poi con cioccolato fondente. La *Luxury Cakes* dove lavora mia sorella Lucy ha una rivale.

«Inizio a capire perché da tutta la Cornovaglia vengano proprio da Astrid».

Proseguiamo con il nostro dessert, di tanto in tanto mi ritrovo a osservare il suo profilo e quegli occhi che, stasera, sembrano quasi aver catturato la mia attenzione.

Poi è lui a dire:

«Sai, qui a *Spring House* ne passa di gente eccentrica ma mai avevo conosciuto una scrittrice».

Sorridendo replico:

«Quindi per te colui che scrive, un autore, dev'essere un po' strambo?»

Spencer, passandosi la mano sul mento, puntualizza:

«Non ho detto questo, solo immagino che non sia semplice riuscire a emozionare e a far sognare».

Solleva lo sguardo.

«E immagino, invece, che tu ci riesca senza problemi».

Un po' in imbarazzo, gli rispondo:

«Lo spero, anche se il mio non è quello che si potrebbe definire il "classico lavoro", ci metto davvero tanta passione. Scrivere è un po' la mia casa, il mio porto dove poter attraccare quando il mare è in tempesta; creare sempre nuovi personaggi e nuove storie mi permette di estraniarmi da tutto e da tutti. Posso sognare, emozionarmi insieme ai miei protagonisti e, perché no, spesso anche arrabbiarmi con loro. Tutto questo è qualcosa di quasi magico...»

Resta qualche istante a fissare il vino nel suo bicchiere. Poi, solleva lo sguardo a incontrare i miei occhi.

Sento quegli occhi tanto intensi su di me, come se non avessero alcuna intenzione di volersi spostare.

Per qualche istante non diciamo niente, poi azzardo:

«Anche tu, però, non hai scelto un lavoro monotono. Gestire un B&B non dev'essere affatto semplice».

Vedo affiorare sulle sue labbra un sorriso sghembo.

«Allora Peggy, direi che forse siamo più simili di quanto immaginassi».

Sento di nuovo i suoi occhi fissi nei miei, poi sono io a spostare lo sguardo su Wolf che sta reclamando la mia attenzione posando le zampette sui miei jeans.

«Adesso penso proprio che tornerò nella mia stanza e mi metterò un po' a lavorare. Grazie davvero per la serata, buonanotte Spencer», concludo alzandomi e incamminandomi al cottage.

Lui sorridendo e sorseggiando un altro po' di quel vino rosso di rimando mi dice:

«Buonanotte, Peggy».

14. Spencer

Resto lì, a fissarla: i capelli scompigliati dal vento di mare, mi sorride e si volta incamminandosi in veranda.

Quando me la sono trovata qua, con quella sua ridicola auto snob che mi chiedeva una camera, ho subito pensato che non fosse altro che la classica turista con la "puzza sotto al naso". Invece, devo ammettere che Miss Cennevan, oltre a essere una combinaguai estremamente cocciuta, è anche simpatica.

Mi soffermo in giardino a gustarmi questa mite serata di inizio primavera assaporando un goccio di un delizioso whiskey scozzese che mi hanno regalato i miei.

Mi ritrovo a guardare la finestra della sua camera, probabilmente si sarà già messa al lavoro assorta nei suoi pensieri, nelle sue storie.

Meglio sistemare la cucina e andarmene a letto, devo ancora mettere mano ad alcuni infissi e alle camere, penso tra me portando in cucina i nostri piatti.

15.Peggy

Sono seduta con le gambe incrociate sul comodo letto king size con il portatile aperto ma, a differenza di qualche giorno addietro, adesso sulle pagine del programma di scrittura inizia a delinearsi il mio romanzo.

Scrivo come non riuscivo da tempo e inizio proprio a pensare che essere venuta qua sia stata davvero un'intuizione geniale.

Mi avvicino alla finestra, in giardino vedo Spencer, non riesco a capire cosa stia facendo, forse sta semplicemente passeggiando gustandosi la serata mite.

Devo dire che è stato cortese ad avermi fatto restare qua a *Spring House* e poi diciamolo, ho combinato vari pasticci: prima la gomma e adesso sono riuscita a farmi portare la macchina al deposito per divieto di sosta.

Dopo aver lavorato ancora un po', esausta decido di chiudere il PC e, proprio quando sto per spegnere l'abat-jour, noto sul soffitto quello che immagino possa essere un geco che passeggia indisturbato.

Mi alzo repentinamente dal letto, neanche fossi un felino, ed esco correndo dalla stanza senza neppure mettermi le pantofole né tantomeno il maglione.

Wolf mi segue cominciando ad abbaiare come un matto.

Sin da quando ero ragazzina ho sempre avuto un'autentica fobia dei rettili, soprattutto dopo che in una gita scolastica un mio compagno mi nascose una lucertola nella sciarpa.

A piedi nudi corro giù per le scale sperando di trovare ancora Spencer in giardino.

Quando esco sento subito il vento pungermi le gambe scoperte dai pantaloncini del mio pigiama.

Mi guardo intorno ma a quanto pare dev'essere già a dormire.

Inutile dire che per me è praticamente impossibile condividere la stanza con un geco quindi penso proprio che dovrò ancora chiedergli di darmi una mano.

Sto quasi per varcare il portico quando il sistema di irrigazione si mette in funzione automaticamente facendomi fare la doccia da capo a piedi.

Merda, merda, merda!

Una ventata intanto ha fatto chiudere la porta, per cui adesso mi trovo completamente zuppa e a piedi nudi fuori dal cottage.

Wolf mi guarda perplesso.

Inizio a bussare con veemenza, mi avvicino alla porta sperando di vedere un classico campanello, ma a quanto pare da queste parti non li usano.

Probabilmente Spencer starà già dormendo, ma io non posso di certo restare qua, così prendo un sasso e decido di provare a colpire quella che spero possa essere la finestra della sua stanza.

Provo e riprovo ancora e, dopo una serie di lanci a vuoto, colpisco il vetro che va in frantumi. Vedo la luce accendersi.

16. Spencer

Sono sdraiato sul letto quando avverto dei rumori provenienti dal giardino. Non ho neppure il tempo di avvicinarmi alla finestra per vedere se qualche balordo si fosse intrufolato nel parco che qualcosa sbatte sul vetro mandandolo completamente in frantumi.

Prendo subito dall'armadio la mia vecchia mazza da baseball e, facendo attenzione a non far scricchiolare le vecchie travi in legno del parquet scendo di sotto a piedi nudi. Non ho nessuna intenzione di svegliare la nostra ospite e il suo amico, già me la immagino a gridare per mettere in fuga i possibili furfanti.

Lentamente apro la porta e quello che vedo è assai differente da ciò che mi aspettavo: Miss Cennevan vestita solo con un succinto pigiama che, completamente zuppo lascia ben poco all'immaginazione, mi sta guardando con il suo fidato amico tra i piedi.

Il mio sguardo a fatica tenta di spostarsi dal suo top, da cui spuntano le sue morbide forme, al suo volto accigliato.

«Peggy? Vuoi dirmi adesso cosa stai combinando? Qualcuno ha rotto il vetro della finestra della mia stanza, scendo pensando di scovare dei ladri e, invece... trovo te: zuppa, seminuda, con il tuo cane che pure lui ti guarda perplesso e scusa, ma in questo momento la tua faccia sembra quella di una pazza».

«Pazza?», ripete lei stringendosi nella maglietta.

Poi tutto d'un fiato prosegue:

«Un geco o qualcosa di molto simile a un sauro vaga soddisfatto nella mia stanza e io ho la fobia di quegli inutili rettili. Così, sono venuta in giardino sperando di trovarti e invece si è azionato il tuo sistema di irrigazione e una ventata ha pure chiuso la porta. Ho provato a bussare ma tu non venivi ad aprire così ho iniziato a gettare dei piccoli sassi alla tua finestra per svegliarti e ho rotto il vetro. Devo ammettere che questa, forse, non è stata un'idea geniale».

Poso la mazza, non posso che ridere.

«Data la tua mira infallibile, mi domando se hai mai pensato di giocare a baseball!»

Divertito, la invito ad entrare:

«Su dai, adesso entra».

Il mio sguardo indugia ancora qualche istante sulla sua maglietta bagnata, poi mi volto e la seguo in casa.

17. Peggy

Spencer ancora a dorso nudo, solo con i pantaloni del pigiama, mi segue in casa.

I miei occhi si soffermano qualche istante di troppo a osservare i suoi addominali tesi che, scendendo, sembrano disegnare una V che si sospinge oltre l'elastico dei suoi pantaloni.

Arrossendo sposto lo sguardo al suo viso e, con un po' di imbarazzo, noto che sta fissando la mia T-shirt che, adesso, nasconde ben poco.

Spencer continua a ridere.

«E per favore, tu non ridere. Piuttosto, concentrati che adesso devi vedertela con quell'assurdo animale preistorico», gli ricordo io.

Saliamo nella mia stanza e vado in bagno per mettermi qualcosa di asciutto.

Spencer sta cercando il geco che, ovviamente, sembra essersi dileguato.

Quando esco mi domanda:

«Pensi davvero che si sia trattato di un geco?»

Lo guardo in cagnesco.

«Senti, quello era proprio un rettile. Non chiedermi di che famiglia ma era proprio uno di quegli orribili animali striscianti».

Wolf ci guarda non capendo il perché stiamo infastidendo il suo riposino con tutta questa baraonda.

Spencer prosegue a cercare il mio sgradito coinquilino: sposta il letto, solleva il tappeto, guarda nell'armadio e perfino nelle mie pantofole ma non lo riesce a scovare.

«Senti Peggy, è notte e non possiamo restare ancora qua a cercare il tuo amico... non posso neppure offrirti la mia stanza perché una pazza poco fa ha mandato in frantumi il vetro della finestra quindi o decidi di rimetterti tranquilla a dormire o altrimenti vedo di sistemarti in un'altra camera».

Lo guardo innervosita.

«Dormire qua non se ne parla anche perché non riuscirei a prendere sonno con quel sauro che si aggira indisturbato qui dentro».

Sospira, poi si avvicina.

«Dovevo immaginare che mi avresti fatto impazzire, prendi la tua valigia che cerco di sistemarti in mansarda», mi informa uscendo.

Sto per infilare alla rinfusa i vestiti nel trolley quando lo vedo lì, fermo immobile, tra le mie magliette che mi guarda. Inizio a gridare correndo nel corridoio.

Spencer si volta:

«E adesso perché stai gridando? Vuoi che ti sentano fino a Penzance?»

«È nella mia valigia e mi sta pure fissando», lo indico in preda al panico, sull'orlo di una crisi di nervi.

Si mette a ridere.

«Il geco ti sta fissando?», ripete.

Poi, passandosi la mano sul mento, aggiunge:

«Forse è solo un tuo ammiratore segreto, magari spera in un tuo autografo».

Dalla porta lo osservo prendere una scatola che era nell'armadio e avvicinarsi alla mia valigia.

«Peggy, vuoi venire a salutare il tuo amico? Ha un aspetto assai più pacifico del tuo».

Arretrando gli rispondo:

«Assolutamente no, se proprio ti piace tanto puoi sempre decidere di tenerlo qua a *Spring House* insieme a te».

Avvicina la scatola alla mia valigia poi dalla mia maglietta lo fa scivolare al suo interno "imprigionandolo", sempre con la mia maglia, a mo' di coperchio.

«Ecco fatto».

«Guai a te se ti avvicini un altro po' con quella scatola in mano».

«E adesso dove lo vuoi portare?», chiedo

Spencer si volta.

«Ovviamente sto andando in giardino. Lì potrà trovarsi una dimora più adatta e una compagna indubbiamente più simpatica».

Si ferma, vedo affiorare sulle sue labbra una sorta di sorriso sghembo.

«Buonanotte Peggy spero che adesso permetterai a tutti quanti di dormire almeno un po'», conclude accarezzando Wolf.

Lo osservo incamminarsi giù per la scala.

«Spencer?»

Si volta.

«Come acchiappa animali non sei affatto male!»

Mi sorride.

«Va' a dormire, Peggy».

Mi avvicino alla finestra e lo guardo liberare il geco sul prato.

Non si è ancora messo la maglietta, devo proprio ammettere che la vista che si ha da questa finestra è pazzesca e non parlo soltanto del giardino e della costa.

18. Spencer

Guardo il mio piccolo amico che sembra assai spaventato e lo libero sul prato, poi mi volto e il mio sguardo si posa sulla finestra della stanza di Peggy. Scuoto la testa ripensando a questa assurda serata; devo ammettere che da quando Miss Cennevan è arrivata a *Spring House* non ci si annoia di certo, continua imperterrita a combinare un pasticcio dietro l'altro.

Entro in casa e salgo le scale, mi auguro di poter andare a dormire ma invece la trovo che si aggira per casa.

«E adesso cosa stai facendo? Voi scrittori non ne volete proprio sapere di dormire?» le domando trovandomi a fissare le sue labbra.

«Mi dispiace davvero per la finestra e... per tutto il resto. Volevo solo dirti questo», mi guarda, le guance lievemente arrossate, sembra in imbarazzo.

Faccio per avvicinarmi a lei, ma qualcosa invece mi trattiene, come se una parte di me mi imponesse di mantenermi a una certa distanza.

«Andiamo a dormire, la sveglia tra poche ore mi butterà giù dal letto e le imposte da verniciare sono ancora parecchie», le ricordo.

È sulla porta della sua stanza, prima di chiuderla alle spalle, sorridendo appena, esclama un timido:

«Buonanotte, Spencer».

«Buonanotte Peggy», rispondo io di rimando.

Prendo dal comò una vecchia felpa del Manchester United e me la metto. Dalla finestra che Miss Cennevan ha rotto entra il vento; guardo i pezzi di vetro sul pavimento e, chissà perché, mi ritrovo ancora a sorridere.

19. Peggy

Quando mi sveglio scendo in giardino a cercare Spencer.

Uscendo avverto subito un vento pungente sul viso e svariate nuvole grigie fanno pensare che un bel temporale primaverile potrebbe farci compagnia.

Mi guardo attorno e lo trovo impegnato, su una scala un po' malconcia, a sistemare le imposte che danno sul portico.

«Buongiorno, sembra proprio che il maltempo voglia seguirmi», gli dico avvicinandomi e stringendomi nel morbido cardigan.

Si volta, nonostante le temperature più basse porta una semplice T-shirt e un bermuda color kaki. Riesco a percepire l'odore del suo after-shave, mi guarda in tralice e puntualizza:

«Praticamente, prima del tuo arrivo, non si vedeva una sola nube su tutta la Cornovaglia da settimane… penso proprio che insieme a te sia arrivato pure il maltempo».

Scende dalla scala, posa la cassetta degli attrezzi e passandosi la mano sul viso aggiunge:

«Piuttosto hai distrutto qualcos'altro a parte il vetro o ti sei limitata a dormire senza dar fastidio ad altri animali pacifici e tranquilli?»

Ride.

«Tanto per precisare, non sono stata io a importunare il rettile ma è stato lui a decidere di invadere i miei spazi e sì, per quanto riguarda il vetro, mi spiace davvero. Ovviamente pagherò io la sostituzione».

«Che fossi testarda l'avevo già intuito… per la finestra, non se ne parla, avevo già programmato di cambiare alcuni infissi».

Accarezza Wolf sul musetto, poi riprende:

«La colazione è in veranda, spero che la torta cheesecake ti piaccia. Poi, pensavo di portarti al deposito per riprendere l'auto. Nel pomeriggio non posso, passa da qui il mio contabile, e amico, per rivedere il prospetto delle spese e il nuovo bilancio per la riapertura».

«Grazie per la colazione, non dovevi disturbarti tanto e ovviamente mi spiace per il fastidio che ti arreco».

Mi guarda e poi riprende i suoi lavori di manutenzione.

***

Siamo in macchina, stiamo andando a riprendere la mia Mini. Non so perché ma mi sento dire:

«Spero di non crearti problemi con la tua ragazza, non vorrei che si facesse strane idee».

Si volta mettendosi a ridere.

«Tranquilla non crei nessun problema anche perché non ho alcuna ragazza a cui potrebbe dare fastidio la tua permanenza a *Spring House*».

Poi, serio, precisa:

«Mia moglie ha chiesto il divorzio alcuni anni fa, non sopportava *Spring House* e, immagino, che non sopportasse molto neppure me».

Noto nei suoi occhi un alone di malinconia, immagino che non sia piacevole veder naufragare il proprio matrimonio. Non pensavo proprio che fosse stato sposato...

Poi, continuando a guidare con attenzione, prosegue:

«Eravamo davvero giovani quando ci siamo conosciuti, innamorati e poi sposati; pensavamo entrambi di aver trovato l'amore con la A maiuscola ma siamo sempre stati molto diversi».

Non so che dire, così mi limito a un semplice:

«Mi spiace per il tuo matrimonio».

Mi guarda, vedo spuntare sulle labbra quel suo solito sorriso.

«Non dispiacerti, non potevamo stare insieme. Due mondi troppo diversi: lei era venuta da Exeter qua in vacanza in estate con la sua famiglia, una generazione di notai. Io avevo da poco iniziato a lavorare a *Spring House*. Ci siamo conosciuti sulla spiaggia di Porthcurno, è stato amore a prima vista. I suoi non mi vedevano certo di buon occhio, forse temevano che Thea, per colpa mia, non avrebbe più voluto lavorare nello studio notarile di famiglia. In effetti, finita la vacanza, eravamo così innamorati che lei decise di rimanere qua. Nonostante le rimostranze dei genitori, a Natale ci sposammo. Della sua famiglia non venne nessuno, solo suo fratello. Anche lei dava una mano a *Spring House* ma la "luna di miele" non durò granché. Iniziò a stufarsi, rivoleva la sua vita mondana fatta di feste e lusso. Una mattina trovai un suo biglietto in cui mi diceva che voleva tornare dai suoi, in quel mondo tanto diverso dal mio».

Per alcuni istanti non diciamo niente, non immaginavo che avesse avuto una storia d'amore molto simile a quelle che si leggono nei libri. Ferma la macchina.

«Direi di recuperare la tua Mini e poi, per favore, guarda di tenerti alla larga dai guai», mi suggerisce scendendo dal pick-up.

20. Spencer

Non so perché le ho parlato di Thea e del mio matrimonio, è una cosa che non faccio mai, con nessuno, e invece con lei è stato così semplice.

Come se la conoscessi da sempre, come se fosse un'amica con la quale è cosa abituale aprire il proprio cuore.

Scendo dall'auto, lei fa lo stesso.

Mi volto appena e la vedo seguirmi nel piccolo edificio un po' malconcio per ritirare quella sua assurda auto.

Dopo aver pagato una più che lauta cauzione con relativa multa, ci incamminiamo al mio pick-up dove la nostra scrittrice combinaguai sostiene di aver scordato il suo maglioncino.

«Mi auguro che tu riesca a non combinare ulteriori pasticci, soprattutto adesso che sei tornata ad aggirarti per le strade di Porthcurno con il tuo bolide», la prendo in giro io.

Mi guarda in cagnesco e afferma:

«Ti avviso che sono piuttosto nervosa, oltre ad aver pagato una somma sconsiderata mi hanno pure detratto dei punti dalla patente quindi, mio caro Spencer, non penso di tollerare le tue risa divertite!»

Mi avvicino, ha ancora le guance arrossate per il piccolo diverbio con la ragazza del deposito. Devo ammettere che la nostra scrittrice ha davvero un bel caratterino!

«Io adesso torno a *Spring House*, mi raccomando non metterti nei guai», concludo fissandola in quegli occhi intensi.

Sbuffa.

«Tranquillo, non ne ho alcuna intenzione».

Faccio per salire sul pick-up quando, sorridendo appena, esclama:

«Grazie, sei stato davvero cortese».

Non dico nulla, resto un istante a guardarla voltarsi e incamminarsi alla sua automobile.

21. Peggy

Sono seduta alla guida della mia macchina.

Questo divieto di sosta, con relativa multa e cauzione per il deposito, mi è costato la generosa cifra di 290 pounds e la detrazione di due punti sulla patente.

Inizio a pensare che Spencer non abbia tutti i torti, da quando sono arrivata a Porthcurno non faccio altro che combinare disastri mettendomi in situazioni imbarazzanti.

Mi immetto nella ormai familiare strada a un'unica corsia che conduce al B&B e mi ritrovo a ripensare a ciò che mi ha raccontato poco fa.

Non immaginavo che fosse stato sposato. Indubbiamente il loro dev'essere stato davvero un grande amore, sono andati contro la famiglia di lei per poter stare insieme e questa Thea ha rivoluzionato tutte le sue abitudini per Spencer. Dovevano essere davvero innamorati, però la passione non è sufficiente per far funzionare una storia né tantomeno un matrimonio.

Penso che sia stato lui quello che ha sofferto maggiormente per il divorzio perché in fondo, immagino, fosse stato ancora innamorato di lei.

Tra un pensiero e l'altro arrivo a *Spring House*, sta cominciando a piovere, in giardino non vedo Spencer così entro nel B&B.

Mi guardo attorno, non sento alcun rumore, forse lui si trova nel suo appartamento così salgo al piano di sopra e decido di mettermi un po' a lavorare.

Presa dal mio libro non ho sentito neppure la fame e non mi sono accorta che è già pomeriggio inoltrato.

Chiudo il portatile, ha smesso di piovere.

Mi stiracchio un po' e, soddisfatta per il mio lavoro, afferro la scatola di macaron e scendo in giardino con Wolf che scodinzola contento di potersi sgranchire le zampette.

Esco sul portico sperando di trovare Spencer con cui fare due chiacchiere e condividere la mia merenda ma sembra proprio che non si aggiri come al solito in giardino.

Mi siedo sul dondolo per gustarmi i miei dolcetti e rilassarmi.

Wolf giocherella con un vecchio pallone sgonfio quando sento del tramestio in veranda; mi volto e vedo Spencer che parla con un uomo.

Deve avermi notato infatti lo vedo avvicinarsi insieme al suo interlocutore.

«Non ti ho visto per tutto il giorno, iniziavo a pensare che ti fossi messa ancora in qualche guaio».

Poi, sorridendo aggiunge.

«Lui è Colin Rochester, mio amico e contabile. Questa invece è la celebre scrittrice Peggy Cennevan».

Colin, incredulo, mi stringe la mano.

«Peggy Cennevan? È davvero un piacere conoscerti, mia sorella ha letto tutti tuoi libri, io stesso le ho regalato a Natale: *Un dipinto per innamorarsi*».

Gli sorrido compiaciuta.

«Mi fa molto piacere».

Poi, rivolta a Spencer, puntualizzo:

«Allora anche da queste parti c'è qualcuno che legge i miei libri».

Spencer ridacchia:

«Non ho mai detto che da queste parti non si leggano i tuoi romanzi ma soltanto che, il sottoscritto, non ne conosceva nessuno».

Colin aggiustandosi il pullover inamidato esclama:

«Spens, ma com'è possibile che tu non la conoscessi? Per settimane nella libreria in paese erano esposti tutti i suoi libri in vetrina!»

Mac Dorner allarga le braccia in segno di resa.

«Ragazzi scusatemi ma non sono solito leggere questo genere di romanzi piuttosto non vi andrebbe un aperitivo? Ho un ottimo Chardonnay che aspetta solo di essere assaporato insieme alle mie tartine».

Poi, osservando la scatola di dolcetti che sto mangiucchiando aggiunge incamminandosi verso la veranda:

«Datemi qualche istante prima che la nostra autrice decida di mangiarsi da sola tutte quelle prelibatezze».

Colin si siede sulla poltroncina in vimini: è alto e piuttosto magro, capelli folti leggermente brizzolati, occhi grigi, indossa un jeans con un pullover grigio. Ha proprio l'aspetto di un classico contabile.

«Allora Peggy posso chiederti cosa ci fai qui in Cornovaglia in questa stagione? Generalmente non si vedono molti turisti».

«Infatti non sono una turista, sto lavorando al mio nuovo romanzo; ho preso in affitto un cottage proprio sulla spiaggia di Porthcurno».

Colin sembra perplesso.

«Sulla spiaggia di Porthcurno hai detto?»

«Sì, trovo che sia davvero incantevole. Come mai me lo stai chiedendo?», azzardo.

Lui, piuttosto imbarazzato, esclama:

«C'è solo un cottage proprio su quella baia e, come saprai, è di Spencer».

«Di Spencer? Stai scherzando?», chiedo io.

«Assolutamente no! Quando lo comprò era solo un rudere, fu proprio lui a fare tutti i lavori di ristrutturazione. Ci abitò con Thea appena dopo le nozze poi, col naufragare della loro storia, decise di subentrare ai signori Doggish nella gestione di *Spring House* e, da allora, il cottage è sempre stato in affitto».

Vediamo tornare Spencer con lo Chardonnay e un piatto di tartine.

Riempie i nostri calici e ce li porge.

«Al nuovo libro di Peggy, a *Spring House* e ovviamente a Colin che riesce sempre a far quadrare i conti!», proclama alzando il bicchiere e facendolo tintinnare con i nostri.

Iniziamo a gustare le tartine, Spencer e il suo amico parlano di una nuova tavola da surf e io, invece, mi ritrovo a ripensare a quanto mi ha raccontato Colin.

Non capisco davvero perché non mi abbia detto che il cottage che voglio prendere in affitto è suo.

Forse è per questo che Vincent era sorpreso quando gli ho detto che avevo trovato una stanza in questo B&B e poi, a pensarci, gli arredi shabby chic del cottage a Porthcurno, ricordano lo stile di *Spring House*.

Restiamo per un po' ancora lì a chiacchierare, gustandoci il nostro aperitivo poi Colin si alza.

«Ragazzi, io vado. Spens, aspetto che tu mi mandi per e-mail le visure che ti ho chiesto per aggiornare il tuo dossier».

Poi mi guarda e sorridendo annuncia:

«Mi ha fatto davvero piacere conoscerti, Peggy».

Si passa la mano sul mento e timidamente azzarda:

«Se ti andasse, uno di questi giorni, potremmo prendere un altro aperitivo insieme. Questo è il mio numero». Poi, stringendomi la mano, aggiunge:

«Spero di sentirti».

«Grazie, è stato un piacere anche per me conoscerti».

«Buona serata ragazzi, ci vediamo Spens», si congeda prendendo il vialetto che porta al cancello.

Spencer mi guarda rigirarmi tra le mani il foglietto con su scritto il cellulare di Colin.

«A quanto pare la nostra scrittrice ha già un ammiratore!», ammette infastidito entrando in veranda facendo sbattere la porta a battenti.

22. Spencer

Prendo dal tavolino i nostri piatti e li porto in cucina, Peggy mi segue.

«Cosa vorresti dire?», domanda lei innervosita.

Appoggio le stoviglie sul bancone e prendo dalla dispensa alcune verdure di stagione che inizio a tagliare a listarelle.

«Allora? Mi vuoi dire cosa vorresti insinuare?», prosegue lei spazientita.

Sollevo lo sguardo dai peperoni e, fissandola negli occhi, affermo:

«Sai, conoscendo Colin da tempo, penso proprio che devi essere stata piuttosto "esplicita" con lui, altrimenti non si sarebbe mai sbilanciato con un invito dopo aver scambiato con te solo qualche parola».

Continuo a guardarla, le guance arrossate e gli occhi che mi scrutano in cagnesco.

Per qualche istante restiamo lì, l'uno davanti all'altra, a fissarci; nessuno ha intenzione di abbassare lo sguardo.

Ha ancora in mano il suo bicchiere, lo tiene stretto, tanto che potrebbe romperlo.

«Guarda che se lo stringi un altro po' ti si sgretolerà tra le dita!», esclamo senza smettere di guardarla.

Non dice nulla, così sono ancora io a voler provocare una sua reazione:

«Stai forse pensando di rovesciarmelo addosso? Immagino che tu, mia cara Peggy, non ne abbia l'ardire!»

Continua a fissarmi, gli occhi adesso sono delle fessure.

«Dici? Pensi che non lo faccia?», esclama lei con le guance arrossate per la rabbia.

Non mi dà il tempo di replicare che si avvicina mantenendo ancora lo sguardo nel mio e mi getta con rabbia sul viso quel che rimane del suo Chardonnay.

Non posso credere che l'abbia fatto davvero!

23. Peggy

Chi si crede di essere? Soprattutto, non gli permetterò di rivolgersi ancora in questa maniera alla sottoscritta.

Se non gliel'ha mai detto nessuno forse adesso è il caso che qualcuno gli faccia capire quando è il momento di tenere la "lingua a freno" con le sue allusioni insensate e, perché no, offensive.

Mi avvicino e mantenendo gli occhi fissi nei suoi, gli rovescio in faccia quello che resta del mio Chardonnay.

Lui mi guarda perplesso asciugandosi con un canovaccio il viso.

«Sei davvero pazza!», sbotta.

Mi avvicino ancora e sbraitando dico:

«Pazza? Piuttosto direi arrabbiata! In modo assai cortese mi hai praticamente dato della sgualdrina e adesso scusa, ma voglio riprendere le mie cose e togliere il disturbo. Tu resta pure qui in questa bettola con i tuoi amici rettili a farti compagnia e dimmi quanto ti devo, non intendo andar via senza aver pagato. Da te non voglio alcun favore».

Mi volto e impettita mi incammino quasi marciando su per le scale.

Sento dei passi alle mie spalle.

Entro in camera e inizio a gettare alla rinfusa i miei vestiti nel trolley aperto sulla poltrona.

Wolf, forse impaurito dalle mie grida, si è nascosto sotto alla toeletta.

Poi con la coda dell'occhio lo vedo, appoggiato allo stipite della porta, che quasi ridendo mi sta osservando.

«E adesso cosa cavolo hai da guardare?», chiedo proseguendo a fare la valigia.

«Nulla, è che sei davvero buffa e anche matta! E aggiungerei pure aggressiva».

Aggressiva?

Adesso vuole davvero farmi infuriare.

«Senti, la vuoi smettere di infastidirmi? Se proprio vuoi fare qualcosa preparami il conto invece di restare lì a fissarmi».

Si passa la mano sul viso dove affiora un lieve accenno di barba che, devo ammettere, lo rende terribilmente sexy.

«Non ho intenzione di spostarmi da qua, Peggy. Se non erro quella arrabbiata e anche offensiva sei solo tu. Ti dice niente "bettola"?», mormora, adesso, avvicinandosi di qualche passo.

Provo a ricorrere alle tecniche di rilassamento che avrei dovuto apprendere al corso di yoga *online* che mi ha regalato lo scorso Natale mia sorella.

«Vuoi proseguire a infastidirmi Spencer? L'hai detto tu stesso che sono anche aggressiva».

Poi, mettendo l'ennesima T-shirt nel trolley puntualizzo:

«Per aver definito il tuo B&B una "bettola" mi spiace, sai che trovo *Spring House* davvero deliziosa».

Provo a chiudere il trolley ma, avendoci messo tutti i vestiti spiegazzati a casaccio, non ci riesco così mi ci siedo sopra.

Lo guardo, è ancora lì che mi osserva quasi divertito.

«Allora cos'hai ancora da ridere? Piuttosto, vuoi prepararmi il conto?», lo incalzo.

Si avvicina.

«Peggy te l'ho già detto, *Spring House* non è ancora aperta quindi non ho intenzione di farti pagare. Lo sai che sei proprio cocciuta?»

«E tu invece sei un falso!»

Mi guarda perplesso, forse non capisce.

«Cosa pensavi di fare non dicendomi che il cottage che sto per prendere in affitto è tuo?», lo provoco io.

Per qualche istante non sembra aver intenzione di rispondere poi si avvicina ancora un altro po'.

«Quando sei arrivata qui chiedendomi una camera non potevo di certo immaginare che la scrittrice londinese interessata al mio cottage, di cui mi aveva accennato Vicent per telefono, fossi proprio tu. Poi, dopo che ti ho trovato con la gomma forata e Wolf che correva impazzito sotto la pioggia e abbiamo cominciato a parlare venendo qua a *Spring House*, ho intuito che, invece, potessi essere tu la mia affittuaria».

Si passa la mano sul mento.

«Forse avrei anche potuto dirti che era mio quel delizioso cottage sulla spiaggia di cui ti eri tanto innamorata, ma non amo parlare di quella mia proprietà. Immagino che Colin ti abbia raccontato che la comprai appena sposato, discuterne mi rievoca tante emozioni che preferisco mantenere chiuse in un cassetto».

Sembra davvero deluso quando parla del suo matrimonio, noto una certa amarezza nella sua voce. Abbasso lo sguardo, mi ritrovo a fissare la mia valigia ancora aperta.

«Senti Spencer io non ho intenzione di restare ancora qua. È evidente che noi due non ci sopportiamo, siamo come cane e gatto e poi tu sei burbero, scontroso e scortese e non fai altro che prendermi in giro. Onestamente riesci davvero a mandarmi su tutte le furie e poi...»

Si avvicina, non mi dà il tempo di continuare a parlare che strattonandomi mi attira a sé e con impeto posa la sua bocca sulla mia zittendomi.

Avverto le sue labbra che esercitano una leggera pressione sulla mia bocca, le sue mani che mi tengono stretta.

Per un attimo resto lì, ferma, completamente spiazzata da questo bacio, poi con impeto lo spingo via.

Spencer completamente a suo agio, ridendo, esclama:

«Mi dispiace davvero Peggy, non sono solito comportarmi in questo modo con una gentile, dolce e affabile signorina d'altri tempi. Ma tu potresti impaurire anche uno dei più temuti serial killer d'America. Non mi veniva in mente altro per farti stare zitta se non baciarti».

Poi avvicinandosi mi porge la mano.

«Che ne dici di un armistizio? Questo pomeriggio, quando tu eri assorta nella scrittura del tuo nuovo romanzo, è passato da qui Vincent. Abbiamo compilato il contratto d'affitto, volevamo farti una sorpresa, le chiavi sono in salotto che ti aspettano».

Non so davvero che dire.

Forse entrambi abbiamo davvero esagerato.

Gli stringo la mano e gli propongo:

«Scordiamoci di tutto questo trambusto ma a patto, però, che tu prepari qualcosa per cena».

Mi picchietta la mano sulla spalla e continuando a ridacchiare aggiunge:

«Mi farai davvero impazzire Peggy Cennevan. Vado in cucina a preparare qualcosa, non voglio suscitare ancora le tue ire».

Lo osservo incamminarsi giù per le scale, ho ancora il cuore che batte all'impazzata e non riesco davvero a capire se sia per la collera che mi ha provocato Spencer, per ciò che ha fatto o forse per entrambe le cose.

Mi pare assurdo baciare qualcuno per farlo stare zitto, penso.

Mi siedo alla toeletta, Wolf mi sta guardando.

Probabilmente, sentendomi gridare, riterrà che la sua padrona è impazzita.

Dalla valigia inizio a sistemare i vestiti che poco fa avevo gettato alla rinfusa e mi ritrovo, così, a ripensare a questo strano pomeriggio a *Spring House*.

Non avrei di certo immaginato che lo scontroso gestore di questo incantevole B&B avrebbe utilizzato un metodo alquanto discutibile col solo intento di zittirmi.

Davvero stravagante questa sua maniera di farmi tacere.

Mi domando sei usi questo sistema con chiunque si trovi a discutere con lui.

Vado in bagno a lavarmi il viso arrossato; se chiudo gli occhi mi sembra ancora di sentire le sue labbra sulle mie.

Accidenti Peggy, cosa cavolo stai pensando? Mac Dorner non lo sopporti, ricordi?

Prendo il portatile tanto per spostare la mia attenzione altrove, lontana dalla bocca di Spencer che con prepotenza mi ha baciata, quando sento bussare: mi volto e lo vedo di nuovo lì sulla porta della mia stanza.

24. Spencer

Non mi era mai capitato di fare una cosa del genere, non avevo mai baciato nessuno col solo intento di zittirlo.

Non riesco ancora a capire cosa mi sia passato per la testa.

La stavo ascoltando farneticare cose prive di qualsivoglia senso quando, in modo totalmente irrazionale, ma d'impulso, mi sono avvicinato e con veemenza l'ho baciata.

Devo ammettere che Peggy vanta numerose qualità piuttosto irritanti, ma non avrei proprio dovuto farlo.

Mi metto al lavoro in cucina e dopo aver preparato un invitante sformato dalla crosta dorata e friabile mi incammino su per le scale.

La porta della camera di Peggy è socchiusa, mi fermo e mi ritrovo a osservarla: è seduta sul letto, il portatile aperto sulle gambe, sembra assorta nella scrittura, si mordicchia nervosamente il labbro inferiore. I lunghi capelli mogano le scivolano giù lungo la schiena, si è messa una maglietta che le lascia leggermente scoperte le spalle.

Se non avesse quel carattere totalmente insopportabile potrebbe anche essere una ragazza interessante.

«La cena è servita, mi auguro che sia di tuo gradimento, signorina Cennevan!», esclamo sulla porta guardandola di sottecchi quasi ridendo.

Si volta di soprassalto.

«Non ti avevo sentito, mi hai spaventata!»

Poi, sistemandosi la maglietta e afferrando il cardigan sulla poltrona, aggiunge:

«Mi hanno detto che lo chef è un tipo piuttosto intrattabile ma di indubbia abilità in cucina».

Mi avvicino, mantengo lo sguardo fisso nei suoi occhi e, sorridendo, mi ritrovo a sussurrarle piano all'orecchio:

«Non solo in cucina, Peggy».

Lei si sposta, ha le guance lievemente arrossate.

«Direi di scendere, inizio a sentire una certa fame!», dichiara lei incamminandosi giù per le scale.

La guardo ancheggiare nelle sue Converse rosa shocking e non posso fare a meno di sorridere.

25. Peggy

Ha apparecchiato in veranda, sul tavolo una tovaglia in lino verde salvia, piatti in fine porcellana di *Limoges*, una bottiglia di vino.

Sposto la poltroncina per sedermi e su di essa vedo una cicogna e una sirena in porcellana con delle chiavi attaccate.

«Vincent ha rispettato quanto ti aveva promesso. Quelle sono per te, il cottage da adesso è tuo», mi informa.

Lo guardo, il viso è rischiarato soltanto dal filo di piccole lampadine al led, mi sorride appena.

«Grazie, davvero. Forse lo chef non è poi così intrattabile come dicono!», affermo ridendo.

Restiamo per qualche istante zitti, i miei occhi che non riescono a spostarsi dai suoi... accidenti devo ammettere che Mac Dorner ha in sé qualcosa di accattivante, qualcosa che stuzzica la mia fantasia, e questo non mi piace affatto.

Poi, a interrompere questi miei pensieri, annuncia:

«Vado a prendere lo sformato».

Lo guardo voltarsi, è indubbiamente quello che chiunque giudicherebbe un uomo affascinante, a tratti è pure una gradevole compagnia, ma è anche scontroso e irritante.

Eccolo che torna con una pirofila dal profumino invitante: è un pasticcio di patate con verdure di stagione, il tutto ingentilito da una mousse di salmone.

Il sapore è squisito: gustoso e leggero al tempo stesso.

«Davvero delizioso. Devo proprio ammettere che in cucina sei piuttosto abile».

Spencer mi osserva al di sopra del calice di vino.

Vorrei proprio sapere a cosa sta pensando.

«Sai, stavo quasi cominciando ad abituarmi a vederti gironzolare per *Spring House* distruggendo ciò che hai intorno», ammette lui ridendo come è solito fare per prendermi in giro.

«E ora cosa vorresti insinuare? Mi sembra di ricordare di aver mandato in frantumi soltanto il vetro della tua stanza!», puntualizzo.

Spencer prima che possa aggiungere qualcos'altro mi interrompe dicendo:

«No, per favore adesso non ricominciare con le tue rimostranze altrimenti mi vedrò costretto a baciarti di nuovo per farti stare zitta!»

Con il viso arrossato per l'imbarazzo esclamo:

«Azzardati e ti garantisco che non mi limiterò a spintonarti ma ti piazzerò un calcio dove sai tu!»

Mi guarda ridendo.

«Come immaginavo: sei anche piuttosto aggressiva ma, tranquilla, volevo solo divertirmi a prenderti ancora un po' in giro. Dai, gustiamoci questa serata mite, abbiamo fatto poco fa un armistizio, ricordi?»

Sorrido anche se ha il potere di mandarmi su tutte le furie in un solo istante.

Mangiamo gustando il delicato sapore del salmone misto a quello più intenso del vino. Poi è a lui a chiedermi:

«Allora, sei contenta che potrai scrivere nel giardino del cottage che tanto ti piace gustandoti il panorama sulla baia di Porthcurno? Ciò che me ne fece innamorare fu proprio il paesaggio: il mare turchese e cristallino che lambisce quella spiaggia dorata e fine».

«Anch'io, come ti ho detto, sono rimasta incantata dalla vista che si ha su quella distesa magica».

Mi mordicchio il labbro nervosamente, rigirando tra le dita la sirena e la cicogna da cui penzolano le chiavi.

«Stavo riordinando il comò quando l'ho scorto in una scatolina. Lo comprai tempo fa a Zennor», afferma mantenendo gli occhi fissi nei miei.

«In Cornovaglia si tramandano molte leggende e quella della sirenetta di Zennor è proprio una di quelle che mi raccontava sempre mia nonna».

Beve un sorso di vino.

«Hai mai sentito parlare di questa storia?»

«No, però l'ascolterei volentieri», mi limito a dire fissando i suoi occhi.

Per un istante non dice niente poi, spostando lo sguardo dal mio viso alla piccola sirena, inizia a raccontare:

«Si narra che uno dei coristi della chiesetta del paese, un certo Matthew, fosse un giovane affabile, gentile e molto affascinante proprio come il sottoscritto».

Lo guardo in tralice.

«Matthew sapeva anche cantare in modo unico, la sua voce sembrava quasi incantare tutti coloro che l'ascoltavano.

Un giorno il giovane stava passeggiando sulla spiaggia e la sua voce giunse al mare attirando l'attenzione di una sirena. Quando Matthew alzò lo sguardo si accorse della giovane che lo invitava a seguirla sulla scogliera fino alla baia di Pendour.

Qualcuno ritiene di aver scorto il ragazzo proprio in quella insenatura che guardava il mare per poi svanire tra le sue onde, da allora nessuno seppe più nulla di lui. Solo anni dopo il capitano di una nave gettò la sua ancora proprio in quella baia e udì una voce. Era una sirena che gli chiedeva di ancorare altrove poiché non sarebbe riuscita a entrare nella sua casa per tornare dai figli e dal marito, Matthew.

Il capitano obbedì, desideroso di non inimicarsela e mantenere la sua nave al sicuro.

Nella chiesa del paese fu intagliata una sedia con una sirena per ricordare ai giovani del paese di non farsi incantare da quel viso delizioso.

Si dice che ancora oggi, al tramonto, in una serata limpida e tranquilla, puoi sentire una voce cantare».

Lo ascolto affascinata e rapita dalla sua storia e dal modo in cui mi ha raccontato questa leggenda.

«Grazie per il racconto e la cena... adesso però penso proprio che prenderò il mio trolley per andare al cottage».

Sollevo lo sguardo, trovo i suoi occhi verdi che mi fissano.

«Grazie davvero per avermi ospitata qui a *Spring House*, è una location davvero unica e, naturalmente, anche per avermi dato una mano con la macchina», proseguo io.

Lui, continuando a tenere lo sguardo nei miei occhi, mi sussurra piano:

«Resta almeno stanotte, Peggy».

Noto una sorta di dolcezza nella sua voce, come se davvero volesse che rimanessi.

Poi aggiunge:

«Non vorrei dover venire a recuperarti con la tua auto in panne: ha piovuto parecchio e le strade sono fangose, per non parlare dell'acquaplaning!»

Non so davvero cosa pensare di lui: poco fa era irritante e pure insolente e adesso, invece, sembra così premuroso.

«Ritengo di aver approfittato anche troppo della tua ospitalità. Porthcurno non è molto distante da qui e ti garantisco che mi impegnerò a non mettermi ancora nei guai».

Poi, sorridendo aggiungo:

«Dovresti festeggiare, ti stai liberando di un autentico disastro, Spencer».

Lui, tagliando una fetta di crostata ai mirtilli, replica:

«Invece devo proprio ammettere che sei riuscita, con tutti i tuoi pasticci, a movimentare questo periodo generalmente monotono a *Spring House*. E poi, dopo essere stato a stretto contatto con te con quel tuo caratteraccio, penso proprio che riuscirò a sopportare con pazienza i capricci dei turisti».

Mi ritrovo di nuovo a fissare quegli occhi verdi tanto intensi:

«Caratteraccio, il mio? Vogliamo parlare del tuo, Spencer? Non mi sembri tra gli individui più pacifici e cortesi in circolazione!»

Ride.

«Non ti ho mai detto di esserlo. Forse è proprio per i nostri caratteri "turbolenti" che siamo zitelli».

Solleva lo sguardo come a cercare conferma della sua affermazione e, lievemente in imbarazzo, mi porge il piattino con il dolce.

Io, tanto per non dargli soddisfazione, un po' risentita, rispondo:

«E cosa ti fa pensare che non abbia un fidanzato? Mi reputi tanto brutta?»

«Assolutamente no! Mi chiedevo soltanto se qualcuno in tutto il Regno Unito fosse talmente paziente da riuscire a sopportarti».

Decido di continuare il gioco e di fare la sostenuta:

«Ti stai sbagliando mio caro Spencer, esiste un uomo che, come dici tu, riesce a sopportarmi nonostante il mio carattere. È un ragazzo meraviglioso ed è follemente innamorato di me», affermo con aria trionfante.

«Strano però che, considerate le sue innumerevoli doti altruistiche degne del Nobel per la Pace, ti abbia lasciato venire qua da sola... poteva quantomeno accompagnarti».

Lo guardo in cagnesco.

«Non poteva, il suo lavoro lo tiene molto impegnato».

«Ah, allora immagino che non lo vedremo spesso da queste parti. Mi sarebbe piaciuto molto conoscerlo, dev'essere davvero un supereroe!», dice lui ridendo.

«Supereroe o no, stasera ho davvero intenzione di andare a Porthcurno».

Mi versa un altro bicchiere di vino.

«Davvero, Peggy, resta. Anche se non avrò un carattere meraviglioso come quello del tuo fidanzato, non ho intenzione di farti mettere in macchina di notte dopo aver, tra l'altro, alzato il gomito. Per favore non litighiamo anche per questo e poi immagino anche che al tuo ragazzo non piacerebbe saperti da sola in auto che vaghi per strade scoscese».

Lo guardo, nei suoi occhi adesso non leggo la solita arroganza, ho capito che non mi permetterà di mettermi in macchina.

Decido di assecondarlo.

«Come vuoi tu, resterò anche stanotte ma ti avviso: se un altro sauro dovesse decidere di dividere la stanza con me, potrei non rispondere delle mie azioni».

Vedo affiorare sulle sue labbra quel sorriso sprezzante che tanto mi innervosisce.

«Cosa intendi che potresti non rispondere delle tue azioni? Le cose potrebbero farsi interessanti!», afferma indugiando con lo sguardo sulle mie labbra.

«Non farti strane idee mio caro, come hai ripetuto tu stesso sono piuttosto aggressiva... potrei solamente distruggere il tuo B&B».

«Tranquilla, sono un autentico lord inglese, non ci proverei mai con una donna già impegnata, sono un uomo di grandi valori».

Poi alzandosi aggiunge:

«Piuttosto vuoi un caffè o preferisci un infuso? Ne ho una vasta gamma, i turisti amano sorseggiare le mie tisane in giardino gustandosi le serate miti e il rumore del mare a far loro da colonna sonora».

Sorrido.

«Il rumore del mare come colonna sonora? Non immaginavo che il rude proprietario di *Spring House* conoscesse anche un po' di sano romanticismo, non pensavo proprio che questo rientrasse tra le tue innumerevoli qualità», ammetto io ridendo.

«Mi dispiace signorina Cennevan ma le mie qualità spaziano ovunque!»

Restiamo qualche istante in silenzio gustandoci il dolce che ha preparato Spencer, si è sollevato un leggero venticello che riesce a scompigliarmi lievemente i capelli.

Si alza.

«Allora, considerato quanto sei nervosa, direi che la caffeina potrebbe soltanto gettare ulteriore benzina sul fuoco. Decido io, vado a prepararti una tisana».

Lo osservo entrare in casa poi, stringendomi nel leggero cardigan, scendo in giardino. Si sente soltanto qualche gufo in lontananza e, proprio come ha detto poco fa Spencer, il rumore delle onde che si infrangono sulla spiaggia.

Cammino lungo il vialetto, sento anche il gracidare di qualche rospo che deve essere uscito a passeggiare approfittando della serata mite.

Spring House ha in sé qualcosa di magico, quasi surreale direi.

«È una serata meravigliosa, non trovi?»

Mi volto, non mi ero accorta che fosse uscito dalla veranda con le nostre mug fumanti.

«Stavo pensando proprio la stessa cosa».

«Accidenti, io e te che pensiamo la stessa cosa contemporaneamente? Potrebbe essere la notizia del secolo!», esclama lui porgendomi la tazza.

Ne respiro il dolce aroma.

«Arancia dolce, sambuco e mirtillo. Ha un sapore davvero particolare, io ne vado matto».

L'assaggio, devo proprio ammettere che ha un gusto delizioso.

Restiamo ancora un po' in giardino mentre Wolf si diverte a giocherellare con una vecchia pallina che ha scovato tra i cespugli.

«Allora grazie per la cena e ovviamente per tutto quanto. Sono esausta, vado a letto. Buonanotte, Spencer».

Lui si china ad accarezzare Wolf, poi solleva lo sguardo:

«Buonanotte, spero soltanto che altri animaletti non decidano di disturbarti anche stanotte!»

Sorrido e mi incammino in veranda.

Poi, sento:

«Peggy!»

Mi volto.

«Mi ha fatto piacere averti qua. Buonanotte, signorina Cennevan».

26.Spencer

Mi ritrovo ancora a fissarla, sta sorseggiando la sua tisana, i capelli leggermente mossi dal vento. Nessuno dei due parla, solo il rumore del mare che si infrange sulla scogliera e il gracidare di qualche rospo.

Guardo Peggy, si stringe nel golf, devo dire che è un'autentica rompipalle e aggiungerei pure combinaguai, ma devo proprio ammettere che iniziavo ad abituarmi a vederla gironzolare per *Spring House* con quel suo immancabile portatile sempre aperto.

Ha movimentato questo periodo, generalmente calmo e scandito sempre dalla solita routine, prima della stagione in cui i turisti cominciano a riversarsi sulle nostre spiagge.

«Allora grazie per la cena e ovviamente per tutto quanto. Sono esausta, vado a letto. Buonanotte, Spencer», esclama la mia ospite.

Mi avvicino, guardo il viso dai lineamenti delicati rischiarato soltanto dal bagliore della luna che si specchia nelle acque della baia di Porthcurno; non so perché ma avverto lo strano impulso di sfiorarle la guancia.

Allungo impercettibilmente la mano ma poi la ritraggo subito, non mi pare proprio il momento di permettersi certi gesti, soprattutto con la mia nuova affittuaria.

«Buonanotte, spero soltanto che altri animaletti non decidano di disturbarti anche stanotte!», mi ritrovo invece a dirle.

Vedo affiorare sulle sue labbra un sorriso, poi si incammina per il vialetto in ciottoli.

«Peggy!», sono ancora io a parlare.

Si volta e mi guarda.

«Mi ha fatto piacere averti qua. Buonanotte, signorina Cennevan».

In risposta mi regala ancora un altro sorriso.

***

Quando sento suonare la sveglia vorrei poter restare ancora un po' a letto ma so che devo sbrigare diversi lavori.

Scendo di sotto e mi preparo subito la moka, amo l'aroma inconfondibile del caffè tostato e non potrei di certo iniziare la giornata senza la mia "dose" di caffeina.

In giardino mi metto a scartavetrare le persiane su cui devo ancora passare la nuova vernice; di tanto in tanto lo sguardo va a posarsi sulle imposte, ancora chiuse, della camera della mia ospite. Immagino che starà dormendo.

Proseguo il mio lavoro, quando sento dei passi alle mie spalle accompagnato da alcuni rumori.

Mi volto, la vedo trascinare il suo ingombrante trolley, si avvicina insieme al suo fidato amico.

«Buongiorno Peggy, stanotte nessun rettile è passato a trovarti?», le chiedo.

«No, se ne avessi visto uno aggirarsi nella mia stanza, stai tranquillo che sarei venuta a svegliarti gridando come una matta».

Già, non faccio di certo fatica a immaginarlo.

«A quanto vedo sei in partenza... mi raccomando cerca, sempre che tu ci riesca, di tenerti lontana dai guai».

Mi chino ad accarezzare il piccolo cane che, soddisfatto di queste attenzioni, mi dà una leccata sul braccio.

«Tu, Wolf, mi raccomando, tieni d'occhio la tua padrona! Vedrai, il cottage ti piacerà, ha un bel giardino dove potrai correre indisturbato».

Alzo lo sguardo, Peggy mi porge la mano:

«Allora grazie di tutto, è stato davvero un piacere poter restare qua e avere a disposizione *Spring House* tutta per me».

La guardo, ha le guance lievemente arrossate, sembra nervosa.

«Il piacere è stato mio Peggy, non avevo ancora avuto l'onore di avere come ospite una scrittrice».

Poi le rammento:

«Ricordati, mi hai promesso di menzionarmi nei ringraziamenti».

Mi sorride:

«Più che doveroso, Spencer».

Per alcuni istanti restiamo lì a fissarci, poi è lei a congedarsi:

«Allora io adesso vado, grazie ancora e buona fortuna per la nuova stagione», aggiunge sollevando il trolley un po' impacciata.

Mi avvicino e gli prendo la valigia dalle mani.

«Un autentico galantuomo come me, non ha intenzione di farti portare da sola questa sorta di "armadio quattro stagioni" fino alla tua auto. Mi sono sempre domandato cosa mettiate nelle valigie voi donne! Sembra quasi che dobbiate portare con voi tutta la casa».

Ci incamminiamo, l'uno accanto all'altra nel vialetto.

«E adesso come hai intenzione di trascorrere le giornate da sola nel cottage?», le chiedo.

«Non sono sola, ho Wolf con me. E poi, come sai, devo lavorare al mio libro, ho delle scadenze da rispettare. Mi concederò di certo delle lunghe passeggiate sulla spiaggia, un po' di sole e qualche dolcetto di Astrid da gustarmi nel tuo giardino».

Mi fermo e puntualizzo:

«È il tuo giardino, non il mio».

Poi, non posso fare a meno di aggiungere:

«Se restassi di nuovo bloccata con la macchina chiama e, all'occorrenza, anche se ti dovessi trovare in compagnia di qualche simpatico animaletto».

Metto il trolley sul sedile posteriore della sua auto insieme a Wolf.

«Beh, adesso devo proprio andare».

Prima che possa dire qualcosa si avvicina e mi abbraccia dandomi un frettoloso bacio sulla guancia.

«Ci vediamo in giro», si congeda.

La osservo salire in macchina mantenendo lo sguardo fisso sul suo viso.

«Ci vediamo, Peggy».

Scruto la macchina uscire dal cancello e immettersi nella strada maestra. Immagino che adesso le giornate trascorreranno tranquille anche se devo ammettere che un po', quella petulante scrittrice, rendeva più movimentata la mia routine.

27. Peggy

Ripercorro la stessa strada a una sola corsia che da *Spring House* scende giù fino a Porthcurno.

Il solito cartello in legno con la scritta *Porthcurno Cove* sembra darmi il benvenuto; prendo, così, il vialetto in ciottoli che porta al cottage.

Scendo con tutte le mie valigie e apro il cancello cigolante.

Rispetto all'altro giorno, quando sono venuta qua con Vincent per visionare la casa, nel giardino sono spuntati diversi narcisi dal profumo inebriante.

Appoggio il trolley e alcune scatole sul patio e mi metto a cercare nella mia shopper le chiavi.

Trovo il portachiavi e, guardandolo, non posso fare altro che sorridere.

Avevo quasi fatto l'abitudine ad aggirarmi per *Spring House*, al suo delizioso parco e... al suo scontroso proprietario.

Devo tuttavia ammettere che Spencer, nonostante i suoi modi, spesso discutibili, è stato gentile permettendomi di restare nel suo B&B.

Abbasso lo sguardo e dico al mio fedele amico:

«Che ne dici, Wolf, entriamo in casa?»

Lui, in risposta, comincia a scodinzolare.

***

Sono riuscita a sistemare quasi tutto il mio guardaroba nell'ampio armadio della camera e adesso, dopo essermi rilassata con una bella doccia, ho deciso di prendere il sentiero che dal mio giardino conduce direttamente alla spiaggia.

Il vialetto scende tra cespugli di ginepro e qualche pianta di rosa canina.

Wolf sembra apprezzare parecchio questa nostra avventura.

La spiaggia è quasi deserta, soltanto dei nonni che giocano con le loro nipotine e dei ragazzi che fanno un po' di jogging.

Sento un vento leggero sul viso, il rumore del mare e l'odore del salmastro; dei simpatici gabbiani zampettano sulla spiaggia lasciandosi alle spalle le loro piccole orme.

Mi soffermo qualche istante a osservarli: uno gioca con un legnetto che deve aver portato a riva il mare e l'altro invece lo segue piluccando qua e là ciò che riesce a trovare sulla spiaggia.

Mi tolgo le scarpe, la sabbia in parte bagnata è fine sotto ai miei piedi e i granelli sembrano quasi massaggiarmi la pianta.

È una sensazione rilassante che avevo quasi scordato; era da tempo che non camminavo a piedi nudi sulla spiaggia.

Mi avvicino a riva, l'acqua è cristallina, ma io ritraggo subito il piede, per i miei canoni è sempre troppo gelata.

Riprovo e, dopo qualche istante, inizio ad abituarmici. Wolf abbaia, forse impaurito dalle onde che di ritorno si infrangono sulla spiaggia.

Prova ad avvicinarsi un po' ma, per adesso, senza bagnarsi le zampette.

Proseguiamo la nostra passeggiata in completo relax.

Accidenti, questo luogo ha davvero in sé qualcosa di magico... qua il tempo è come se scorresse lento facendoti assaporare ogni cosa, ogni dettaglio.

A Londra non ero riuscita a buttare giù una sola riga, davanti a me sempre la stessa pagina intonsa di *Word*, qui invece è tutto così diverso.

Anche una canzone sentita per caso alla radio è riuscita a farmi venire in mente delle buone idee, proprio come facevo quando ho iniziato a scrivere.

Tanta passione e creatività.

Mi stringo nel maglioncino in cotone leggero e mi avvio verso il cottage.

Quando arrivo sul portico di casa prendo dalla tasca dei jeans la cicogna ormai familiare con le chiavi.

La inserisco nella serratura ma sembra non girare così provo a fare una leggera pressione e... merda!

La chiave si è rotta, adesso come posso fare per rientrare in casa?

Provo a forzare la finestra della cucina nella speranza di averla scordata aperta e poter così accedere passando da lì, ma nulla, a quanto pare avevo seguito tutte le norme di sicurezza.

Prendo il cellulare per telefonare a Vincent.

Il telefono squilla, mi auguro che sia sempre al lavoro e che, soprattutto, abbia una copia delle chiavi.

«Buon pomeriggio, Peggy. Immagino che sarai comodamente seduta in giardino a gustarti questa splendida serata!», afferma.

Un po' in imbarazzo, inizio a dire:

«Ehm, mi dispiace disturbarti ma dovrei chiederti un favore...»

Dall'altro capo del telefono sento alcuni rumori.

«Rientrando da una passeggiata sulla spiaggia, ho provato ad aprire la porta ma, stranamente, la chiave non girava nella serratura. Ho fatto una leggera pressione ma si è rotta. Adesso non so davvero come fare per poter rientrare in casa».

Mi mordicchio nervosamente un'unghia.

«Mi dispiace Peggy ma l'agenzia aveva una sola copia, quella che adesso hai tu. Quindi penso proprio che dovremo sentire il proprietario».

Accipicchia, dovrò telefonare a Spencer e ammettere che dopo neanche un solo giorno ho combinato l'ennesimo pasticcio.

«Peggy, sei ancora in linea?», mi domanda Vincent.

«Scusa ma speravo di poter passare da voi in agenzia senza ricorrere al padrone di casa».

«Peggy, perdonami, ma adesso devo buttare giù... sono appena arrivati dei clienti».

«Grazie e scusami per il fastidio. Buona serata».

Wolf, rassegnato, si siede sul patio e mi guarda perplesso.

Non posso fare altro che digitare l'ormai familiare numero di *Spring House*.

Il telefono squilla, dopo alcuni istanti sento la voce registrata di Spencer in cui avverte i possibili clienti che il B&B è ancora chiuso per la pausa stagionale e che riaprirà per le vacanze di primavera.

Invita anche a lasciare un messaggio se interessati a ricevere delle informazioni o, in alternativa, inviare un'e-mail al suo indirizzo di posta elettronica.

Accidenti probabilmente è in giardino o non ha semplicemente intenzione di rispondere.

Decido di riprovare ma non ricevo risposta.

Immagino che dovrò salire in auto e recarmi ancora a *Spring House*. Non oso immaginare la sua faccia quando gli dirò che sono riuscita a spaccare anche la chiave del cottage.

Ripercorro di nuovo la stessa strada a un’unica corsia immersa nel verde, poi prendo il vialetto in ciottoli ed ecco che vedo il delizioso albergo.

Fermo la Mini e un po' in imbarazzo scendo.

Non vedo il suo pick-up, spero soltanto di non doverlo aspettare chissà per quanto. Cammino sul prato, mi dirigo alla porta e provo a bussare. Nulla, nessuno viene ad aprire.

Vado a vedere nel giardino sul retro che dà sulla veranda ma anche lì niente.

Non sapendo che fare, decido di sedermi sul dondolo ad attendere che rientri.

Prendo il cellulare per guardare le mie e-mail ma la batteria è scarica e si spegne.

Sembra proprio che non potrò neppure giocherellare col mio smartphone.

Annoiata ed esausta mi acciambello con Wolf sul dondolo.

28. Spencer

Sto rientrando da Truro dove sono andato a comprare, in un noto vivaio, alcune ortensie e magnolie da piantare in giardino e poi mi sono anche fermato da Marie per ritirare le confetture alla mela e cannella e quelle di pesca e zenzero che le avevo ordinato tempo addietro.

Indubbiamente una giornata tranquilla, direi quasi monotona se paragonata a quelle in cui Peggy si aggirava per il mio B&B combinando sempre qualche guaio.

Mi chiedo come se la stia passando nel cottage, probabilmente starà scrivendo seduta sul portico con una tazza di thè e Wolf a farle compagnia.

Svolto nel vialetto che conduce a *Spring House* e... sbaglio o quella che vedo è proprio la sua macchina?

Scendo dal pick-up e mi avvicino alla sua inconfondibile Mini rossa, mi guardo attorno ma non la vedo.

Senza neppure scaricare le piante dall'auto faccio il giro della casa, Wolf scodinzolando si avvicina reclamando qualche carezza.

«E adesso cos'ha combinato la tua padrona?», gli domando abbassandomi a grattargli il simpatico musetto.

Sposto lo sguardo ed ecco che la scorgo: è acciambellata sul dondolo, si è messa il cardigan a mo' di coperta sulle spalle.

Mi soffermo a osservare il viso dai lineamenti delicati dove affiora una leggera abbronzatura color pesca, a ogni respiro il petto si solleva ritmicamente. Devo ammettere che se fosse un po' meno petulante la si potrebbe definire anche una gradevole compagnia.

Decido di lasciarla dormire ancora un po', io nel frattempo porterò le confetture in cucina e metterò le piante sul viletto.

***

Mi avvicino e delicatamente le picchietto la mano sulla spalla.

Di soprassalto Peggy si sveglia guardandomi con quegli occhi color castagna.

«Buonasera, di certo non immaginavo proprio di trovarti qua, ma a quanto pare non riesci proprio a starmi lontana!», esclamo io ridendo.

Mi guarda, mi sarei aspettato una delle sue solite repliche e invece la sento dire:

«Mi dispiace darti fastidio Spencer, ma dovresti ancora darmi una mano...»

In quale pasticcio possa essersi cacciata non ne ho proprio idea.

«Dimmi, anche se non riesco a immaginare cosa tu possa aver combinato in appena un paio d'ore».

Si mordicchia il labbro inferiore nervosamente.

«Non avrei voluto arrecarti ancora disturbo così ho chiesto a Vincent di darmi una mano ma inutilmente... a quanto pare qui sei tu l'unico che può cercare di arginare il mio ennesimo disastro!»

La guardo perplesso, onestamente non capisco di cosa stia parlando.

«Peggy, mi vuoi dire o no cos'altro hai fatto?»

Un po' rammaricata ammette:

«Lo so che da quando sono "approdata" a Porthcurno non faccio altro che mettermi in situazioni imbarazzanti ma, rientrando a casa dopo una passeggiata sulla spiaggia, la porta non si apriva... era come se la chiave non riuscisse a girare così ho provato a fare un po' di pressione ma si è rotta e io, ovviamente, sono chiusa fuori casa».

Poi, guardandomi come potrebbe fare un bambino che sa di aver fatto un pasticcio, aggiunge:

«Per favore, non arrabbiarti».

Fisso quegli occhi ormai familiari, devo ammettere che Miss Cennevan sembra avere una certa attitudine a mettersi nei guai e questo sta cominciando a piacermi...

29. Peggy

Immagino già di sentirlo borbottare spazientito invece, quasi divertito, si mette ancora a ridere.

«Scusa Peggy ma non avevo ancora conosciuto qualcuno che combinasse tanti guai come riesci a fare tu».

Poi, passandosi la mano sulla lieve barba appena accennata prosegue:

«Immagino che Vincent ti abbia detto che l'unico ad avere una copia delle chiavi sono io ma, piuttosto, parte della chiave è ancora dentro la serratura? Se così fosse, dovremmo chiamare un fabbro».

Scuoto la testa, che cavolo ne so di come quella stupida chiave ha deciso di rompersi per incasinarmi la giornata?

Lo guardo quasi sull'orlo di una nuova, possibile, crisi di nervi.

«Non ne ho idea Spencer. Come possiamo fare?», gli domando.

«Dai Peggy non è da te essere tanto mite e soprattutto non sentirmi indirizzare i tuoi continui insulti».

Ride, poi si avvicina, mi mette le mani sulle spalle e mi guarda fisso negli occhi.

«Facciamo così: prendo la copia e ti accompagno al cottage. Se abbiamo un po' di fortuna, e ciò non guasterebbe, soprattutto con te, potremmo togliere la parte rotta da soli, altrimenti vedremo che fare...»

Lo osservo entrare in casa.

Devo proprio confessare che sto riuscendo a combinarne davvero parecchie.

Ritorna dopo qualche istante con le chiavi.

«Su, andiamo».

Salgo in auto e la spia della benzina si accende.

Ecco, adesso, spero solo di non restare pure a secco, penso tra me seguendo il suo pick-up.

***

Siamo sul patio del cottage, Spencer sta provando con una pinza che aveva portato con sé a estrarre dalla serratura ciò che rimane della chiave.

«Penso proprio che dovremo chiamare un fabbro», mi informa cercando il mio sguardo.

«Dovrà smontare la serratura. Su, passami il tuo cellulare, il mio l'ho scordato al B&B».

Mi passo una mano tra i capelli.

«Lo vuoi prendere o no questo telefono, o preferisci restare ancora qua a fissarci negli occhi?»

«Lo prenderei più che volentieri, se solo non fosse completamente scarico», rispondo io sgomenta.

Scoppia a ridere.

«Scusa Peggy ma non riesci proprio ad azzeccarne una! Spero solo che tu non faccia lo stesso con i tuoi romanzi altrimenti non vorrei proprio essere il poveretto che deve occuparsi del tuo lavoro».

Gli faccio una smorfia.

«Davvero divertente».

Poi, aggiungo:

«Piuttosto, cosa facciamo adesso? Potremmo rompere il vetro della cucina e passare da lì!»

Vedo affiorare di nuovo sulle sue labbra quel suo sorriso sghembo.

«Non se parla affatto! A quanto pare, rompere le finestre è qualcosa che deve piacerti parecchio. Comunque la trovo una pessima idea, così oltre al fabbro dovremmo chiamare anche un tecnico per sostituire il vetro. Dai, sali in macchina, non puoi fare altro che tornare con me a *Spring House*, la tua stanza è ancora lì che ti sta aspettando!»

Un sorriso spunta sulle mie labbra.

«Grazie davvero, a quanto pare sarò davvero costretta a menzionarti nei ringraziamenti di questo libro».

Poi aggiungo:

«Sempre che riesca a scriverlo!»

Ci incamminiamo per il vialetto, sta continuando a ridere delle mie peripezie poi, aprendo la portiera del pick-up puntualizza:

«Oltre a essere menzionato tra le persone che hanno reso possibile la stesura di questo tuo nuovo romanzo, è doverosa anche una dedica, mia cara signorina Cennevan».

Saliamo in macchina, Spencer si immette nella strada maestra; la radio in sottofondo passa delle hit del momento che lui canticchia divertito.

Mi soffermo a guardarlo: sembra così diverso adesso rispetto all'uomo scontroso e irritante che mi ha accolto a *Spring House*... sta guidando con attenzione si passa la mano sul viso dove affiora una leggera barba di qualche giorno che, devo ammettere, gli conferisce un che di estremamente sensuale.

Ma che sto dicendo? Mac Dorner è una sorta di cavernicolo, non rispecchia affatto i miei gusti in materia di "maschio"!

Spencer si intromette nei miei pensieri dicendo:

«Stasera non ho proprio voglia di cucinare, con l'arrivo dei turisti avrò poche occasioni per godermi una serata di libertà quindi, se ti va, potremmo fermarci a Marazion a mangiare qualcosa».

Lo guardo perplessa.

Che sta facendo?

Mi sta forse invitando a uscire con lui?

Un po' in imbarazzo rispondo:

«Come preferisci, non vorrei esserti ulteriormente d'intralcio».

Si volta appena a guardarmi poi noto che prende la via che conduce al piccolo paese di mare.

Ferma la macchina vicino alla spiaggia e, da autentico galantuomo, viene ad aprirmi la portiera della sua auto.

«Sono piuttosto affamato, immagino che la mia giornata sia iniziata decisamente prima della tua. Dai, andiamo».

Gli rivolgo uno sguardo in cagnesco.

«Cosa te lo fa pensare? Molti scrittori amano lavorare di notte o alzarsi molto presto quando ancora regna la tranquillità e tutti sono sempre a letto», puntualizzo innervosita.

Mi guarda di sottecchi:

«Quando hai dormito a *Spring House* non ti ho mai vista scendere a colazione prima di metà mattina, per cui non penso che tu rientri in quella categoria», afferma ridendo.

«Sei davvero insolente, guarda che posso sempre decidere di tornarmene al cottage a piedi invece di farmi riportare a *Spring House* con quella tua rudimentale vettura».

Si volta:

«"Rudimentale vettura"? Adesso sì che ti riconosco... poco fa sul patio vedendoti tanto mite mi avevi quasi fatto preoccupare», ammette incamminandosi per la piccola strada pedonale che porta nel centro del paese.

«Vedrai, il posto in cui stiamo andando ti piacerà».

***

Anche questa è davvero una serata mite: solo un tiepido vento mi accarezza le guance accaldate.

Molti negozi stanno chiudendo e le strade del centro si stanno vivacizzando per il classico aperitivo.

Il paese è delizioso: tanti negozietti di souvenir, di prodotti locali e di tele che riproducono scorci di spiagge e paesaggi della Cornovaglia.

Mi soffermo a guardare una vetrina con incantevoli stampe tutte sui toni pastello.

«Eri mai stata qua a Marazion?», mi chiede.

Mi volto e, riprendendo la nostra passeggiata, gli rispondo:

«No, non la conoscevo. Nelle mie gite qua in Cornovaglia sono stata spesso a Saint Ives, Truro e Polperro ma Marazion, no».

«Vedrai, il ristorante dove stiamo andando ti piacerà un sacco».

La strada sale leggermente, pian piano ai negozi si sostituiscono piccole palazzine e cottage dai colori vivaci.

Entriamo in una villetta di recente ristrutturazione.

Le scale sono imbiancate a calce e portano in una saletta intima, con un arredamento moderno.

I tavoli sono apparecchiati con gusto; una ragazza ci domanda:

«Buonasera, come posso aiutarvi?»

«Vorremmo un tavolo per due».

Poi Spencer sfoggiando il più seducente dei suoi sorrisi aggiunge:

«La terrazza è già aperta o è possibile cenare solo all'interno?»

La ragazza, che sulla sua camicetta leggo chiamarsi Mary, risponde:

«In terrazza abbiamo apparecchiato solamente un paio di tavoli ma, se preferite stare fuori, possiamo prepararvene uno in un baleno».

«La terrazza fa proprio al caso nostro», conferma lui.

Mary torna poi con i menù e ci fa cenno di seguirla in terrazza.

Come ci aveva detto, i tavoli apparecchiati sono davvero pochi.

La terrazza, ricavata a tasca nel tetto della palazzina, non è granché ampia: i tavoli sono tutti piuttosto distanziati l'uno dall'altro e qua e là sul parapetto vedo alcune lanterne che conferiscono all'ambiente un'atmosfera ancor più romantica.

Ci sediamo al tavolo e, accipicchia, il panorama che si ha da qua è davvero surreale.

Si vede l'isola di Saint Micheal's Mount che, nelle giornate di bassa marea, si può raggiungere tranquillamente a piedi seguendo una sorta di vialetto che, al contrario, rimane coperto dal mare con l'alta marea.

Stasera l'acqua è tanto cristallina che si riesce pure a scorgerlo tra le onde che si infrangono lente sulla costa.

Potrebbe essere un dipinto creato con perizia dal pennello di un pittore paesaggista.

«Allora che te ne pare?», mi domanda versandomi del vino.

Sposto lo sguardo sul suo viso.

«È incantevole, conoscevo Saint Micheal's Mount e adesso mi è venuta voglia di andarci. Avrei già qualche idea per il mio libro!»

«Ma, certo! Non puoi venire in Cornovaglia e non andarci Peggy, anche se non oso immaginare cosa riusciresti a combinare. Ti vedo già in preda al panico sulla piccola imbarcazione o, in alternativa, bloccata sull'isola da un temporale!», mi canzona lui ridendo.

«Non ci vedo niente da ridere e poi, caro Spencer, non credere che faccia solo disastri, sono una donna intraprendente, sai?»

Mi guarda di sottecchi.

«Puoi anche essere intraprendente ma ti garantisco che nessuno riesce a combinare tanti pasticci quanto te. Piuttosto, hai già deciso cosa prendere?»

Leggo ancora il menù, tutto sembra appetitoso.

Decido per un piatto vegano: straccetti di seitan in salsa piccante e verdure miste.

Ovviamente Spencer inizia subito a prendermi in giro per la mia scelta assai diversa dalla sua.

«Dovevo aspettarmelo che, una scrittrice di romanzi rosa proveniente da Londra, avrebbe preferito cibo vegano a un buon pesce pescato qua a largo».

Per un istante mi limito a fissare i suoi occhi, Spencer allunga la mano protendendola verso la mia quando Mary arriva con le nostre portate.

30. Spencer

Iniziamo a mangiare, di tanto in tanto mi ritrovo a guardare il suo viso illuminato soltanto dal bagliore della luna e dalla tiepida candela.

«Allora, come procede il tuo libro?», le chiedo.

«Piuttosto bene, a quanto pare il mare e questi paesaggi mozzafiato mi hanno dato la giusta ispirazione. Piuttosto, volevo domandarti se hai ancora un po' di disponibilità per il weekend delle vacanze di primavera».

Sollevo lo sguardo dal mio piatto.

«Stai forse cercando una stanza per il tuo fidanzato? Non dirmi che oltre ad avere gusti alimentari discutibili hai anche idee alquanto conservatrici in quanto al sesso prima del matrimonio», la punzecchio.

Il Pinot che stava sorseggiando le va di traverso e quasi lo sputa sul tavolo.

Con il volto rosso come un peperone per l'imbarazzo esclama:

«Non stavo cercando una stanza per lui, questo è ovvio!»

Poi, guardandomi fisso negli occhi, puntualizza:

«Scusa Spencer ma non ho proprio intenzione di portare avanti questa conversazione con te sulle mie abitudini...»

Non posso fare a meno di mettermi a ridere e sollevando le mani in segno di resa aggiungo:

«Scusa ho varcato un confine che non dovevo oltrepassare. Comunque penso di avere ancora una camera doppia per quel weekend ma devo controllare».

Non so il perché ma allungo la mano sul tavolo e la poso sulla sua.

«Mi dispiace, non volevo essere maleducato, ma sembra proprio che prenderti in giro sia diventato uno dei miei passatempi preferiti».

È strano ma, questa petulante scrittrice, ha in sé qualcosa che mi attira come una calamita... sembra proprio che i miei occhi non abbiano intenzione di spostarsi dalle sue labbra. La mia mano si muove lenta sulla sua, come a disegnare dei piccoli cerchi, poi è lei che in imbarazzo la ritrae.

«Allora, posso chiederti per chi vuoi una stanza a *Spring House*? I tuoi o forse un'amica?», domando sorseggiando il vino.

«Nessuno di loro. Mi dispiace Spencer ma non hai azzeccato... è per Lily Chester e il suo ragazzo. Lei è una wedding planner e mi darà delle dritte per il mio nuovo romanzo», tiro dritta soddisfatta.

Continuo a guardarla, i miei occhi sembrano non volersi spostare dalle sue labbra.

«Spesso *Spring House* viene scelta come location per matrimoni e altri eventi e ti posso assicurare che tutte le wedding planner con le quali ho collaborato sono tutte delle rompiscatole».

«Ho parlato spesso con Lily e quello che posso dirti è che non mi è parsa affatto così! Non dovresti generalizzare, non è da persone intelligenti! Se hai ancora una stanza disponibile mi piacerebbe proprio farli stare da te, *Spring House* è incantevole», esclama.

Accidenti, avverto qualcosa a cui non riesco a dare un nome, forse è semplicemente il vino o questa strana atmosfera che è venuta a crearsi tra noi, ma quando mi dà queste sue risposte da saputella, vorrei tanto zittirla posando di nuovo la mia bocca sulla sua.

Tanto per togliermi questi assurdi pensieri dalla mente provo a chiedere:

«Quindi questo tuo nuovo libro parla di matrimoni, torte nuziali, spose nevrotiche e wedding planner?»

«Diciamo che avrei parecchie idee al riguardo ma non scrivo mai niente senza aver avuto delle nozioni sull'argomento, non mi piace incappare in strafalcioni. È per questo che sono in contatto con Lily e lei, come ti ho appena detto, mi è sembrata davvero cortese e disponibile a darmi una mano».

Tra una chiacchiera e l'altra ordiniamo poi anche il dolce, Peggy si è alzata avvicinandosi al parapetto della terrazza: continua a guardare Saint Michael's Mount, come se quel suggestivo isolotto avesse catturato tutta la sua attenzione.

Mi alzo e, avvicinandomi, le sussurro all'orecchio.

«A che stai pensando?»

Senza spostare lo sguardo dall'isola mi risponde:

«Sai, inizio a pensare che la mia protagonista vi farà un giretto e magari proprio là si imbatterà nell'amore...»

Poi sorridendo aggiunge:

«Quindi mi vedrò costretta a farvi visita».

Si volta e ci ritroviamo vicini, a tal punto che riesco a percepire l'odore dolce del suo shampoo. Per qualche istante restiamo così, fermi, con gli occhi fissi l'uno in quelli dell'altra.

La guardo, è una delle donne più cocciute e rompiscatole nelle quali mi sia imbattuto, non so spiegarmelo neppure io, ma avverto l'irrefrenabile impulso di sfiorarla.

È lei ad allontanarsi.

«Ti andrebbe di venire con me? Potresti illustrarmi le caratteristiche dell'isola!»

Poi, prima che io possa rispondere, ci tiene a precisare:

«Ovviamente se non puoi chiederò a una guida turistica: immagino che in questo periodo avrai molto da fare con il tuo B&B e che i pochi ritagli di libertà vorrai passarli diversamente».

Subito la zittisco:

«Nessun problema, ti accompagnerò volentieri e poi, anche con l'arrivo dei turisti, riesco sempre a trovare del tempo libero».

Mary torna al nostro tavolo.

«Posso portarvi un caffè? Un amaro?»

«Un orzo è possibile?», chiede

La ragazza la guarda perplessa.

«Se vuoi possiamo farti un decaffeinato ma l'orzo no, mi spiace, non l'abbiamo».

Mi porto la mano davanti alla bocca, non riesco a contenere le risa.

Se ne accorge ma fa finta di niente.

«Allora niente, grazie».

«Per me niente orzo, vado su un più classico caffè», ordino io.

Quando Mary si dirige in cucina, scuoto la testa e mi ritrovo a ridere.

«E adesso cos'altro hai notato di tanto divertente?»

«Niente, sei semplicemente tu che mi fai ridere», è la mia semplice risposta.

31. Peggy

Bevuto il caffè, usciamo dal ristorante.

Spencer ha insistito molto, che quasi litigavamo, per offrirmi la cena.

Stiamo passeggiando per le vie del piccolo paese, Wolf di tanto in tanto si ferma per fare la pipì e sembra aver gradito questa nostra uscita.

«Da quello che ho capito, non ami molto le grandi città. Sei sempre stato qua?», gli domando stringendomi nel golfino in lana leggera.

Si passa la mano sul mento.

«Sono sempre stato qua tranne nel periodo in cui sono andato a studiare alla *Glasgow School of Art*. Sarei un restauratore di pitture antiche».

Poi, aggiunge:

«Non potrei immaginarmi altrove».

Proseguiamo a camminare, non avrei mai pensato che fosse un restauratore.

Arriviamo al pick-up, Spencer accende la radio che trasmette successi passati.

«Allora, quando hai intenzione di andare a Saint Michael's Mount? Con la bassa marea potremmo andarci tranquillamente a piedi».

«Non sei costretto ad accompagnarmi, come ti ho detto posso anche andare da sola», ribadisco.

Lui si volta:

«Mi fa piacere portarti sull'isola e poi, voglio proprio vedere quale disastro riuscirai a combinare anche là!»

Quando arriviamo a *Spring House* Spencer insiste per prepararmi l'orzo che non sono riuscita a gustarmi al ristorante.

Sono seduta all'ampia penisola della cucina; lo sto osservando.

«Ecco a te il miglior orzo di tutta la Cornovaglia preparato con perizia per soddisfare le tue richieste, Peggy», mi dice lui sfoggiando quel sorriso sghembo che ormai inizia a essermi quasi familiare.

«Grazie, devo proprio ammettere che sai come viziare i tuoi ospiti».

Lui si siede sull'alto sgabello davanti al mio, la lampada al neon mette in risalto il verde intenso dei suoi occhi che, mettendomi in imbarazzo, sembrano quasi non volersi spostare dalla mia bocca.

«Posso chiederti perché tra i tanti cottage che Vincent ti avrà proposto, hai deciso di prendere in affitto proprio il mio? Immagino che ne avrai visionati anche altri con rifiniture di pregio e magari pure con piscina, da queste parti sono parecchi quelli che ne hanno una».

Per un istante resto lì a fissare quei suoi occhi verdi che sembrano conoscere già le mie sensazioni.

Poi, con semplicità, come se questa potesse essere l'unica risposta ovvia, ammetto:

«È per il panorama sulla spiaggia di Porthcurno. Appena l'ho vista me ne sono letteralmente innamorata e poi, diciamolo, il tuo cottage è delizioso, oserei dire che ha in sé qualcosa di magico...»

Poi, senza spostare lo sguardo, aggiungo:

«Se ti dicessi che invece non ne ho voluti vedere altri, mi crederesti?»

Avverto una certa intensità nel suo sguardo ed elettricità tra noi, una sensazione particolare che non provavo da tempo, come se lo scontroso proprietario del B&B e io ci conoscessimo da sempre.

Lui mi guarda e allunga la mano a sfiorarmi l'angolo della bocca, al suo tocco una scossa mi percorre la schiena.

«Anche se ti stava a pennello, avevi un baffo fatto dalla schiuma dell'orzo».

Poi, con uno sguardo differente da quelli che mi aveva rivolto fino ad adesso, aggiunge:

«Ti credo, perché quella è la stessa cosa che pensai io quando vidi il cottage parecchi anni fa».

Si passa la mano sul mento e prosegue:

«Proprio come hai detto tu, ha come qualcosa di magico, riesce a farti innamorare di lui».

Poso la tazzina sulla penisola e, cercando ancora il suo sguardo, azzardo:

«Perché hai deciso di metterlo in affitto? Non è poi molto distante da qui. Immagino che avresti potuto stare là, quantomeno nella bassa stagione quando *Spring House* rimane chiusa».

Poi, intuendo di aver inavvertitamente varcato un confine di cui Spencer non ama parlare, aggiungo:

«Scusa, non sono affari miei. Immagino che avrai avuto le tue ragioni per affittarlo».

Allunga la mano oltre la penisola e prende la mia giocherellando con il mio anello.

«Niente scuse... sì, avrei potuto, ma quel cottage, è inutile, mi ricorda il mio matrimonio».

Per alcuni istanti restiamo lì senza dire nulla.

«Allora grazie per la cena, l'orzo e ovviamente per la tua disponibilità. Sono esausta, buonanotte», mi congedo alzandomi dall'alto sgabello.

Anche lui fa lo stesso, ci troviamo così, tanto vicini che riesco a sentire il suo respiro sul mio viso. Alzo lo sguardo e trovo i suoi occhi che proseguono a fissarmi.

Siamo in piedi in cucina, fermi, con i nostri sguardi che sembrano non aver intenzione di spostarsi l'uno dagli occhi dell'altra.

Percepisco l'odore della sua acqua di colonia e il suo respiro sul mio viso, poi Spencer si avvicina un altro po' azzerando quasi lo spazio tra noi.

Lo guardo, lui mi guarda, sento il cuore che sta impazzendo, poi posa delicatamente la mano sulla mia guancia.

Non riesco a pensare, tutto questo è assurdo e ancora di più sono le sensazioni che sto provando adesso, qui con lui.

Socchiudo gli occhi, se questo fosse uno dei miei libri, adesso lui mi bacerebbe e sarebbe uno di quei baci che non si dimenticano facilmente.

Un bacio dolce, intenso e pieno di passione, magico.

Sento la sua mano che, delicata, mi accarezza la guancia, le nostre labbra stanno quasi per sfiorarsi quando salta la corrente elettrica.

Spencer e io ci spostiamo.

«Accidenti, dev'esserci stato uno sbalzo di corrente o forse è semplicemente saltato l'interruttore dell'impianto elettrico!», esclama innervosito aprendo un pensile della cucina da cui prende una torcia.

«Devo uscire in veranda, il quadro elettrico è lì», aggiunge.

Lo seguo, sento ancora le guance arrossate e il cuore in tumultuo.

Apre uno sportello e inizia ad armeggiare al quadro.

«Qui sembra tutto a posto, probabilmente è un semplice sbalzo di corrente o un guasto sulla linea».

Usciamo in giardino, anche le poche case che si riescono a intravedere sul promontorio sembrano essere nella nostra medesima situazione. *Black out* sull'intera costa!

«Penso che dovremmo cercare una torcia anche per te, quando si verificano questi guasti impiegano sempre un po' a ripararli, qui non siamo a Londra», afferma rientrando in casa.

Lo continuo a seguire, da un armadio colmo di utensili per le riparazioni, prende poi una simpatica candela azzurra con incastonate delle conchiglie.

L'accende e me la porge, per un istante le nostre dita si sfiorano.

«Ecco, per adesso dovrai accontentarti di questa».

Saliamo di sopra e mi dà una mano ad aprire la porta della mia stanza. Il suo viso è rischiarato soltanto dal lieve bagliore della candela che inizia a emanare un dolce profumo di mare, di salsedine.

Accipicchia Peggy non fissarlo in questo modo e, soprattutto, non ti avvicinare a lui, dovresti sapere in quale guaio potresti metterti. Ricordi? Gli uomini come Spencer ce l'hanno scritto in faccia che possono solo mandarti in frantumi il cuore e poi non ti è neppure simpatico, non potete restare più di qualche minuto nella stessa stanza senza litigare ed è anche il proprietario del cottage che hai appena preso in affitto.

Nonostante continui a ripetermi tutto questo come un mantra, non so perché, stasera avverto l'irrefrenabile impulso di sentire le sue labbra sulle mie.

Lui continua a fissarmi ma sono io saggiamente ad abbassare lo sguardo.

«Hai intenzione di dormire con questi jeans? Non mi sembrano granché comodi, guardo se riesco a trovarti qualcosa», mi dice.

Entra nella sua stanza e dopo qualche istante esce porgendomi una felpa e i pantaloni di una tuta indubbiamente enormi per la sottoscritta.

«Perlomeno non dovrai dormire "fasciata" in quei pantaloni».

Poi si avvicina e mi dà un lieve bacio sulla guancia.

«Buonanotte, se dovessi avere dei problemi sai qual è la mia stanza».

Con la cera che mi scotta un dito mi limito a dire un altrettanto semplice:

«Buonanotte, Spencer».

32. Spencer

Sono sdraiato sul letto con la finestra ancora aperta da cui filtra il bagliore della luna.

Che strana serata, di certo quando sono rientrato a casa non avrei immaginato di trovarmi Peggy, acciambellata sul dondolo, che mi stava aspettando.

Riesce a combinare un pasticcio dietro l'altro con la stessa semplicità con cui si prepara un uovo alla "coque". Che paragone assurdo, probabilmente pure io sto iniziando a blaterare cose prive di senso.

Mi dispiace ammetterlo ma Miss Cennevan ha in sé qualcosa che mi attira e non riesco neppure a capirne la ragione perché Peggy vanta una serie di qualità che non sopporto proprio: petulante, a tratti logorroica, presuntuosa ed egocentrica! Ma vogliamo parlare di quelle labbra e di quel seno generoso che molto spesso mi sono trovato a fissare?

Col mio lavoro, spesso, turiste smaliziate mi hanno rivolto "attenzioni" piuttosto esplicite, ma da autentico professionista in questo settore, non è mai accaduto niente con nessuna di loro e posso assicurare che avrei avuto parecchie opportunità.

Dopo la fine del mio matrimonio, non ho avuto altre storie serie, da allora ho cercato di tenermi lontano da tutto ciò che avrebbe potuto richiedere un certo coinvolgimento.

Per un certo periodo ho intrapreso una relazione, sempre che così la si potesse definire, di solo sesso occasionale, con Wendy, una piacevole ragazza che insegna surf.

Nessun coinvolgimento, è quello che mi sono sempre ripetuto ma da quando Peggy è arrivata a Porthcurno, con quei tacchi assolutamente fuori luogo, e quel suo caratterino, sembra aver scatenato qualcosa in me.

Semplice attrazione? È questo che provo?

Non riesco a capire perché, anche adesso, avverta l'irrefrenabile impulso di assaporare la sua bocca.

Mi alzo dal letto e mi ritrovo sulla porta della sua stanza... faccio per bussare ma poi, quel che resta della mia razionalità mi convince a rientrare nella mia camera.

Mi passo le mani sul viso... cosa mi stai facendo Peggy?

33. Peggy

La corrente non ha deciso di tornare fino al mattino. Non sono riuscita a prendere sonno per un bel po', continuavo a girarmi e rigirarmi dando pure fastidio a Wolf che provava a dormire acciambellato sul letto.

Continuavo a ripensare e a rivedere nella mia mente la scena di noi due in cucina, la sua mano sul mio viso e le sue labbra tanto vicine alle mie.

Scendo in giardino ancora assonnata, lo trovo a parlare con una signora, forse una nuova ospite di *Spring House*.

Non è molto alta, il viso leggermente abbronzato, i capelli biondi sono raccolti in un elegante chignon. Avrà pressappoco la stessa età dei miei genitori.

Indossa un pantalone in tessuto e un maglioncino.

Quando mi vedono, Spencer mi fa cenno di avvicinarmi.

«Buongiorno Peggy, la corrente è tornata soltanto questa mattina! Lo immaginavo, qui non sono molto celeri con le riparazioni».

«Lei è Tessa».

Poi, sorridendo aggiunge:

«Mia madre».

Faccio per porgerle la mano ma la madre di Spencer mi avvolge in un affettuoso abbraccio.

«Tesoro, sei davvero incantevole e poi mi ha detto Spencer che sei una scrittrice. Generalmente leggo dei gialli storici ma adesso, tornando a casa, mi fermerò di certo in libreria per comprare uno dei tuoi romanzi».

Le sorrido.

«Se lo leggerà e, soprattutto, se lo troverà di suo gusto, ne sarò contenta».

La madre di Spencer ci guarda e soddisfatta esclama:

«Siete davvero una coppia deliziosa, Peggy sembra proprio la ragazza dolce e genuina che stavi cercando».

Lui e io... una coppia?

Mi volto, Spencer mi strizza l'occhio e si avvicina cingendomi la vita.

«Eh sì, Peggy è proprio una ragazza dolcissima, tanto che spesso temo un aumento della glicemia», ribadisce ridendo.

Lo guardo, per un istante vorrei dire che non sono affatto la sua fidanzata e che praticamente ci detestiamo ma, invece, decido di assecondare la sua recita.

«Spencer si diverte sempre a prendermi in giro, sembra che questo sia diventato il suo passatempo preferito».

Tessa ci guarda sorridendo.

«Avevo proprio voglia di conoscere questa misteriosa fidanzata che da un po' è riuscita a scalfire il cuore rude del mio ragazzo».

Poi, aggiunge:

«Quando questa mattina sono passata da qui e non l'ho trovato impegnato nei suo lavori di manutenzione e ho dovuto attendere in giardino prima che venisse ad aprirmi, ho intuito che ci dovessi essere tu, Peggy, a distrarlo».

Mi sento in imbarazzo, accidenti sbaglio o sua mamma ci ha appena fatto intendere che ci immaginava a letto insieme o forse è soltanto la mia fantasia che sta correndo?

«Spencer mi ha detto che starai nel cottage per poter lavorare indisturbata al tuo nuovo romanzo... saresti anche potuta rimanere qua a *Spring House* ma, effettivamente, è un po' caotica con l'arrivo dei turisti».

Spencer continua a cingermi la vita, avvertire le sue mani sui miei fianchi provoca in me emozioni contrastanti.

«Che ne dite di fare una sana e gustosa colazione in veranda? Datemi qualche istante e vi cucino dei pancake da farcire con una deliziosa confettura di mirtilli».

Tessa ci guarda aggiustandosi la lunga collana di corallo.

«Grazie ragazzi, ma è da qualche tempo che ho il sonno piuttosto leggero e mi sveglio sempre molto presto, ovviamente ho già fatto colazione con tuo padre», puntualizza avvicinandosi e dando un bacio a entrambi.

«Gustatevi questi giorni di vacanza insieme».

Poi stringendomi nuovamente in un abbraccio, mi confida:

«Mi ha fatto davvero molto piacere conoscerti, Peggy... passerò in paese per acquistare il tuo libro».

Poi guardando Spencer aggiunge:

«Quasi dimenticavo, una sera vi aspetto a cena, tuo padre impazzirà quando gli dirò che nostro figlio si è fidanzato e, per giunta, con una scrittrice».

La osserviamo incamminarsi per il vialetto, poi mi volto e sprezzante sbotto:

«La tua fidanzata, eh? Mi vuoi spiegare cosa ti è saltato in mente?»

Si passa la mano sul viso dove affiora un lieve accenno di barba di qualche giorno.

«Scusami, non volevo metterti in imbarazzo ma mia mamma oltre a essere una dolce signora di mezz'età è particolarmente interessata a diventare nonna... così le avevo accennato che mi vedevo già da un po' con una ragazza. Quando questa mattina l'ho trovata davanti alla porta, ho subito pensato che avresti potuto darmi una mano».

Poi, aggiunge:

«Se ti va, per farmi perdonare, ti preparo i miei deliziosi pancake».

Lo seguo in casa.

«Se mi proponi quelle tue prelibatezze non posso che passarci sopra anche se, ti avviso, mi devi un grande favore».

Lo osservo amalgamare le uova con lo zucchero e la farina. Si muove con scioltezza tra l'impasto e la piccola padella antiaderente. Vederlo cucinare ha un che di affascinante anche perché tutti gli uomini con cui ho avuto a che fare, a partire da mio nonno e mio padre, per non parlare poi dei miei ex, erano tutti impacciati in cucina.

Poi solleva lo sguardo dalla pirofila e sorridendo esclama:

«Un grande favore? Mi sembra di ricordare signorina Cennevan che, oltre a tutti i guai che hai combinato con la tua auto, mi hai anche distrutto un vetro e adesso sei pure riuscita a chiuderti fuori casa».

Subito puntualizzo:

«Se "darmi una mano" ti pesa tanto puoi anche non farlo», mi interrompe.

«Per favore non ricominciare... diciamo piuttosto che questo potrebbe essere un equo scambio di favori: io continuo a "darti una mano" con tutti i tuoi innumerevoli disastri e tu invece ti presti per una sera a venire a cena dai miei. Pensi di poter accettare la mia proposta?», mi propone porgendomi la mano.

Lo guardo un po' di tralice e poi, sbuffando, gli stringo la mano.

«Una cena ma, mi raccomando, guarda di tenere le mani a posto».

Mi guarda e si mette a ridere.

«Per le mani, non garantisco!»

34. Spencer

Le metto nel piatto la colazione, le porgo una tazza di thè verde e mi siedo sull'alto sgabello alla penisola.

«Sono di tuo gradimento?», le chiedo osservandola addentare un dolcetto.

«Sono squisiti, devo proprio ammettere che i tuoi pancake non hanno rivali».

La guardo, i capelli appuntati in modo disordinato, le guance lievemente abbronzate e le spalle appena scoperte. Provo a non pensarci, ma mi sento attratto da lei, come non mi capitava da tempo.

«Come pensi che potremo fare con la porta del cottage? Hai telefonato a qualche fabbro?», domanda d'un tratto.

«Ho già mandato un messaggio a un mio amico che fa piccole riparazioni ma non mi ha ancora risposto. Avrei voluto telefonare anche al fabbro di Penzance ma poi, avendo trovato mia mamma in giardino, mi è completamente passato di mente».

Prendo dalla tasca posteriore dei jeans lo smartphone.

«No, a quanto pare Andrew non ha ancora risposto. Adesso provo a telefonare a Orazio, speriamo che riesca a passare».

Dopo alcuni squilli il mio amico risponde. Ci soffermiamo a parlare di onde lunghe, tavole da surf e di una possibile cena tra vecchi compagni di squadra.

Poi inizio a raccontargli del cottage e del pasticcio che Peggy ha combinato.

Quando riattacco, soddisfatto, la informo:

«Inizialmente non voleva neanche passare ma poi, conoscendolo, immaginavo che buttando il discorso su mare, surf e amici, mi avrebbe accontentato. Passa da qui in mattinata così ti riaccompagnerà direttamente lui a casa».

Mi guarda, sembra delusa, forse pensava che fossi io a darle un passaggio fino al cottage.

«Allora, non sono stato bravo?»

«Ehm, sì. Certo», si limita a dire.

Continuiamo la colazione tra una chiacchiera e l'altra poi sentiamo suonare alla porta.

«Accidenti, dev'essere già Orazio».

Appena apro la porta mi dà una pacca sulla spalla e mi abbraccia in modo amichevole.

«Ehi, Spens, è da un pezzo che non passavo di qua. *Spring House* è sempre meravigliosa e poi sembra proprio che tu quest'anno abbia fatto parecchi lavoretti di manutenzione».

Sposta lo sguardo sulla mia ospite e le porge la mano.

«Io sono Orazio. Tu invece devi essere la scrittrice di Londra di cui tutti parlano in paese».

Un po' in imbarazzo si limita a puntualizzare:

«Piacere, io sono Peggy Cennevan... grazie per essere venuto subito, come ti ha già detto poco fa Spencer ho rotto la chiave nella serratura».

Orazio sembra scrutare Peggy da capo a piedi poi, strizzandomi l'occhio, bisbiglia:

«Quello che si dice in giro sembra esatto: la tua amica Spens è proprio un bocconcino prelibato anche se pare proprio che combini un sacco di guai».

Poi aggiunge:

«Io direi di andare al cottage spero di non dover smontare tutta la serratura. Ci vediamo, Spens».

Mi dà nuovamente una pacca sulla spalla e si dirige al suo Van.

Sposto lo sguardo sul viso di Peggy, per alcuni istanti rimaniamo a fissarci poi è lei a dire:

«Beh, io vado, grazie davvero per tutto».

Mi avvicino, sento il profumo ormai familiare del suo shampoo, poi mi ritrovo a darle un lieve bacio sulla guancia.

«Signorina Cennevan, mi raccomando, guarda di non metterti ancora nei guai», la avverto mantenendo lo sguardo fisso sul suo viso.

La osservo poi salire sul Van del mio amico e il mio cuore, sotto sotto, spera che combini l'ennesimo pasticcio per poterla rivedere.

35. Peggy

Orazio è quello che nel mio immaginario è il classico surfista: alto, viso abbronzato, capelli un po' lunghi leggermente schiariti dal sole raccolti in una coda.

Dalla sua T-shirt si riesce a intravedere parte di un tatuaggio che ritengo sia piuttosto grande.

Prova a mettere in moto e soltanto dopo svariati tentativi, accompagnati da altrettante imprecazioni, l'auto riesce ad accendersi.

Mi tengo salda al sedile. Il Van oltre a essere scassato ha degli interni logori e sento pure uno strano odore.

La sua guida è piuttosto sportiva, filiamo come dei pazzi sulla strada a un'unica corsia immersa nella folta vegetazione. Spero tanto di non finire fuori strada!

La mia mente torna a poco fa, al misto di sensazioni contrastanti nel sentire la bocca di Spencer che sfiorava, quasi, impercettibilmente la mia guancia. Cavolo, devo proprio ammettere che stare a *Spring House* con lui cominciava a piacermi: svegliarmi e fare poi colazione in veranda con quegli squisiti pancake, restare a scrivere sul dondolo assorta nel mio lavoro, o forse, ciò che invece mi piaceva di più, non era tutto questo ma semplicemente le nostre chiacchierate, le nostre risa, le sue prese in giro e, perché no, i nostri battibecchi.

Orazio voltandosi appena mi chiede:

«Potresti aprire il vano portaoggetti e passarmi una cartina?»

Lo guardo perplessa.

Mi chiedo chi al giorno d'oggi utilizzi ancora delle cartine stradali!

A fatica riesco ad aprirlo e mi metto, cautamente, a rufolare: un pacchetto di patatine aperto, probabilmente di qualche secolo fa, una lattina di Coca Cola, svariati scontrini e poi una scatolina.

«Mi dispiace ma non vedo nessuna cartina, volevi usarla per arrivare al cottage? In tal caso, la strada potrei indicartela io».

«Una cartina per arrivare al cottage? Ma che caspita stai dicendo?»

Lo guardo.

«Scusa, ma non mi avevi appena chiesto di porgerti la cartina stradale?»

Orazio si mette a ridere come un matto, tanto che deve fermare il Van sul ciglio della strada.

«Cartina stradale, eh? Questa sì che è davvero divertente! Mi chiedo dove ti abbia trovato Spencer, forse in un uovo di Pasqua?», continua a farneticare ridendo come un pazzo.

Si sporge verso di me e con una mano prende dal cassetto la scatolina in latta che avevo notato qualche istante prima.

La apre e prende una cartina per sigarette che, divertito, mi sventola davanti al viso.

«Tesoro, è questa che cercavo!»

Dalla tasca dei jeans prende poi un sacchettino da cui estrae quello che io spero possa essere del semplice tabacco aromatizzato anche se, considerato il tipo, ne ho dei grandi dubbi.

«Vuoi che te ne prepari una? Penso che ti farebbe proprio bene», farnetica accendendo quel particolare prototipo di sigaretta.

«No, grazie. Non fumo», rispondo piccata.

Reimmettendosi in strada, apre il finestrino.

«Non ti dispiace, giusto, se fumo? Altrimenti posso anche buttarla».

«No, tranquillo. Tanto dovremmo essere quasi arrivati».

Stiamo per svoltare nel vialetto in ciottoli che porta al cottage quando una pattuglia della polizia fa cenno a Orazio di fermarsi.

Ferma il Van e getta subito la sigaretta sotto al mio sedile.

L'agente, un uomo dai capelli brizzolati, non molto alto e con qualche chilo di troppo, si avvicina:

«Buongiorno, patente e libretto di circolazione».

Orazio si mette a frugare nelle tasche dei pantaloni.

«Accidenti, dove l'ho messa?», continua a ripetere.

Poi prende dal solito vano portaoggetti alcuni documenti e li passa all'agente.

«Questo è il libretto... non riesco proprio a trovare la patente. Spero di non averla dimenticata a casa...»

Il poliziotto da una rapida occhiata a quei fogli stropicciati.

«Il libretto sembra a posto però dovrebbe farmi vedere anche la sua patente», puntualizza l'uomo.

Poi, sembra fiutare qualcosa.

«Vi dispiacerebbe scendere entrambi dall'auto?»

Wolf dal sedile posteriore ci guarda assonnato decidendo poi di rimettersi a dormire.

Merda! Dovevo proprio rompere quella chiave? E soprattutto, Spencer, doveva proprio chiamare questo suo amico che più che un fabbro mi pare uno scapestrato dedito a sostanze illegali?, penso.

L'agente inizia a scrivere qualcosa sul suo taccuino.

Poi, si avvicina a me:

«E lei signorina? È la sua compagna?»

Prima che possa aggiungere altro rispondo:

«No, no! Lui è semplicemente il fabbro che avrebbe dovuto sistemarmi la serratura».

L'uomo mi guarda.

«Potrebbe mostrarmi la sua carta d'identità?»

Faccio per salire in macchina e prendere dal portafogli il documento quando mi ricordo di non avere nulla con me.

Mi passo una mano sulle guance probabilmente arrossate per l'imbarazzo.

«Mi scusi davvero ma, come le ho appena detto, sono rimasta chiusa fuori di casa e non ho con me niente, ho anche il cellulare scarico!»

Il poliziotto continua a guardarci poi dice:

«Ragazzi, mi raccomando passate dalla centrale per mostrare la patente e la carta d'identità. Per adesso potete andare».

Orazio sta per rimettersi alla guida quando, nel prendere la chiave che aveva riposto nella tasca dei jeans, fa cadere proprio davanti al nostro interlocutore il sacchetto con quello strano mix.

Dall'ansia penso che potrei svenire.

Il poliziotto lo raccoglie poi guarda prima il sacchetto poi Orazio... e me.

«Mi dispiace, ma adesso penso proprio che dovrete seguirmi in centrale».

Provo a respirare e ritrovare la calma.

«Agente mi scusi, ma non potrebbe proprio fare un'eccezione?»

L'uomo mi guarda.

«Entrambi non avete i documenti e a lui è appena caduto un sacchetto che, per quel che mi riguarda, potrebbe anche contenere delle droghe e lei, signorina, potrebbe tranquillamente anche essere sua complice».

Sento le guance andare a fuoco, così provo a insistere:

«Guardi che io questo qua non lo conosco per niente, sono una scrittrice e non c'entro nulla con lui. Per favore non può proprio passarci sopra?»

«Mi dispiace ma non posso. Saranno necessari degli accertamenti anche su di lei, signorina. Questa storia non mi convince per niente!»

Cerco di respirare, devo riuscire a calmarmi.

Prendo Wolf e vado a sedermi nella "gazzella" con Orazio.

Merda, questo è proprio un pasticcio.

Orazio continua a borbottare parole senza senso accompagnate da qualche volgarità.

Mi auguro soltanto che non decida anche di offendere l'agente, non vorrei aggiungere un nuovo reato alla nostra lista.

***

Appena giungiamo alla centrale ci fa sedere alla sua scrivania e inizia a farci una serie di domande.

Inserisce poi i nostri dati nel suo computer.

«Allora lei sostiene di essere la signorina Cennevan Peggy, nata e residente a Londra, professione scrittrice».

«Certo, che lo sono», rispondo alterata.

Solleva lo sguardo dal PC e mi domanda:

«Posso chiederle cosa ci fa in Cornovaglia?»

«Sono qui per lavorare al mio nuovo romanzo, ho appena preso in affitto un cottage ma, come le ho già spiegato, la chiave si è rotta nella serratura e lui mi avrebbe dovuto riaccompagnare a casa per sistemare la porta», spiego indicando Orazio e sventolandomi il viso con un foglio che ho trovato sul banco.

Il poliziotto sembra confuso.

«Mi scusi signorina Cennevan ma proprio non capisco. Da quanto asserisce, lei avrebbe già dovuto essere nel suo cottage, chiusa fuori casa, ad aspettare il signor Orazio, invece eravate in macchina insieme. Questo mi fa pensare che, magari, avevate deciso di andare a comprare insieme il contenuto di quel sacchetto».

Prima che Orazio possa dire qualcosa esclamo spazientita:

«Io ero a *Spring House*, Orazio è venuto lì a prendermi e stavamo andando al mio cottage. Non mi sembra molto difficile da capire e le ripeto: io non ne so niente né di questo tizio né tantomeno di cosa contenga quel sacchetto».

Orazio mi guarda.

«Ehi, ehi, vacci piano. In quel sacchetto non c'è niente di che, si tratta di semplice tabacco aromatizzato con erbe di campo».

Il poliziotto e io ci voltiamo a fissarlo.

«Erbe di campo?», ripetiamo.

Orazio, che sta iniziando a sudare, si passa la mano sulla bocca.

«Senta, signor agente. Non sarò laureato ad Harvard ma le garantisco che quella è della semplice erbetta del mio giardino che mi piace mescolare insieme al tabacco e se quello che vuole insinuare è che sia della cannabis, no, non lo è affatto! Può anche analizzarla».

L'agente beve un bicchiere d'acqua.

«È proprio quello che faremo».

Poi, si volta e si rivolge a me:

«Senta signorina Cennevan, non avendo con sé documenti dovrebbe farsi venire a prendere da un amico o un familiare che possa garantire per lei e poi, ovviamente, dovrà anche tornare con la carta d'identità».

Poi, guardando Orazio invece aggiunge:

«Per lei, dovremo aspettare i risultati del test tossicologico. Se confermeranno quanto ci ha detto, le faremo una semplice multa per le infrazioni fatte».

Si volta ancora e mi porge la cornetta del telefono.

«Chi pensa di chiamare?», mi domanda.

Non so che dire, so solo che sono sull'orlo di una crisi isterica.

Avrei dovuto venire in Cornovaglia per rilassarmi e lavorare al mio romanzo invece mi trovo sempre in qualche pasticcio.

Ovviamente non poteva che venirmi in mente lui: Spencer.

«Chiamo il mio fidanzato».

36. Spencer

Sto sistemando la dispensa quando sento squillare il telefono:

«*Spring House*, buongiorno. Sono Spencer, come posso esserle utile?»

Subito riconosco il mio interlocutore:

«Tesoro, sono io. Peggy».

«Peggy? Ma che stai dicendo? Sei per caso ubriaca?»

Non mi permette di aggiungere altro che continua:

«Dovresti venirmi a prendere. Orazio e io siamo alla centrale di polizia. Abbiamo avuto un piccolo problema, il gentile agente, che è qua con me, aspetta che tu, il mio fidanzato, passi di qua per garantire per me. Per favore, vieni».

«Dammi un istante, arrivo».

Salgo in macchina e mi dirigo alla centrale, mi chiedo cosa cavolo abbiano combinato!

Mi ritrovo a ridere, non si può di certo dire che con Peggy si riesca ad annoiarsi, da quando è approdata a Porthcurno sembra non riuscire a tenersi lontana dai guai.

***

Entro nella stazione della polizia ed ecco la vedo: è seduta alla scrivania con il piccolo Wolf in braccio, ha le guance arrossate e sta parlando col poliziotto.

«Buongiorno agente, sono Spencer Mac Dorner, il fidanzato della signorina Cennevan», mi presento posando una mano sulla spalla di Peggy.

Poi, trovando il suo sguardo, le sussurro:

«Tranquilla amore, adesso vediamo di risolvere questo assurdo malinteso».

Invece, guardando Orazio, aggiungo:

«Agente, non so davvero cosa possono aver combinato ma le garantisco che dev'esserci stato un *misunderstanding*».

Il poliziotto lo guarda.

«Allora signor Mac Dorner, a quanto ho capito in tutta questa insensata e surreale storia, la sua fidanzata, rimasta chiusa fuori casa, si sarebbe recata a *Spring House* dove, il signor Orazio, sarebbe passato successivamente a prenderla. Mi sa dire perché fosse proprio là?»

«Ovvio, è venuta da me. Sono io il proprietario del B&B», dichiaro.

L'agente sembra pensare poi, divertito, aggiunge:

«Appena è entrato mi pareva di conoscerla ma non ricordavo dove potevo averla vista... adesso ho ricordato che proprio l'estate scorsa sono stato a cena nel suo B&B con la mia famiglia, invitato a un matrimonio. Location incantevole!»

Porge a Spencer alcuni fogli:

«Mi faccia qua una firma e, mi raccomando, ricordatevi di tornare a far visionare i documenti della signorina Cennevan».

«Agente non so davvero come ringraziarla per la sua comprensione e, ovviamente, Peggy e io saremmo molto contenti di averla di nuovo a *Spring House* con la sua famiglia, naturalmente sareste nostri ospiti. Buona giornata».

Infine, dando una pacca sulla spalla del mio amico, gli dico:

«Ci vediamo appena puoi al cottage».

Sulla porta mi soffermo e rivolto al poliziotto aggiungo:

«Orazio è un mio caro amico, potrei garantire anche per lui. Sono certo che si sia trattato solo di un malinteso. Buona giornata, agente».

Intreccio le mie dita a quelle di Peggy e, insieme, ci incamminiamo alla porta.

Sento la sua mano stretta alla mia, i nostri fianchi camminando si sfiorano.

Appena ci chiudiamo la pesante porta a battenti alle spalle mi metto a ridere.

«Scusa Peggy ma vorrei proprio sapere cosa avete combinato per esser stati addirittura portati in centrale! Avevate con voi sostanze equivoche?»

Mi guarda in cagnesco.

«Non dirmi che non sapevi delle strane abitudini del tuo amico! Oltre alla guida a dir poco sportiva, si è fatto una sigaretta con uno strano miscuglio di erbe. Ovviamente l'agente ha subito supposto che fosse altro, in più guidava senza patente e io non avevo alcun documento con me».

Posando i suoi occhi sul mio viso aggiunge:

«Grazie di essere venuto a prendermi, inizio a pensare che ti dovrò una lunga lista di favori».

Tengo lo sguardo fisso sulle sue labbra poi protendo la mano per sfiorarle la guancia ma, di impulso, la ritraggo.

«Di nulla, sto iniziando a farci l'abitudine a essere il cavaliere che, col suo cavallo bianco, giunge sempre a toglierti dai pasticci».

Per un istante i nostri occhi sembrano non volersi spostare gli uni da quelli dell'altra, avverto la voglia di toccarla ma non ci riesco:

«Su, adesso andiamo che dovremo sistemare la porta da soli».

Mi volto ancora un attimo a guardarla e non posso fare a meno di pensare a quanto i miei sentimenti stiano cambiando.

37. Peggy

Con tutto questo trambusto quando arriviamo a casa è già pomeriggio inoltrato. Il sole, però, riesce ancora a scaldare i nostri visi. Il giardino emana un profumo di rose canine misto a quello delle ortensie e del salmastro. È proprio una mite giornata di primavera.

Penso che nessuno potrebbe non innamorarsi di questo luogo magico e surreale.

Wolf corre soddisfatto in giardino, anche lui, per essere un cagnolino di città, sta avendo delle giornate piuttosto movimentate.

Siamo adesso sul portico, Spencer mi guarda e per qualche istante restiamo lì a goderci questo paesaggio e questa strana atmosfera che sta iniziando a delinearsi tra noi.

«Su, guardiamo di metterci al lavoro, non sappiamo se Orazio riuscirà a passare da qui, spero solo che l'agente lo rilasci», confessa iniziando ad armeggiare alla porta.

Dal suo pick-up ha preso alcuni strumenti e sta provando a estrarre la chiave ma niente.

Alzo lo sguardo e noto un particolare che mi era sfuggito: la finestra della mia camera aperta!

«Ehi Spencer, guarda! La finestra è aperta, potremmo vedere di passare da lì!», grido io entusiasta.

Si volta e solleva lo sguardo.

«Peggy ma sei pazza? Non abbiamo neanche una scala e poi immagino che dovrei essere io ad arrampicarmi, modello Spiderman, su quell'albero per entrare in casa».

Sorride.

«Beh, non hai tutti i torti».

Spencer prende il telefono, dopo alcuni squilli inizia a parlare divertito di *Spring House* e di alcuni lavori di manutenzione che dovrebbe ancora fare e, naturalmente, della porta del cottage.

Appena riattacca gli chiedo:

«Allora che ha detto? Riesce a passare?»

Si porta la mano sul mento.

«Sta sistemando un albergo a Truro quindi, mia cara, a quanto pare dovremmo proprio passare dalla tua stanza», mi informa alzando lo sguardo alla finestra.

Lo osservo perplessa.

«Ma non avevi detto che era un'idea pessima?»

Si avvicina e picchiettando il dito sulla punta del mio naso esclama:

«Ho cambiato parere, adesso dovrò soltanto trovare qualcosa per arrampicarmi sull'albero».

In giardino riusciamo a scovare soltanto una vecchia fioriera in disuso.

Spencer sale su di essa e poi inizia ad arrampicarsi.

«Fa' attenzione, non vorrei che tu cadessi rompendoti qualche costola!», esclamo osservandolo passare su dei rami dall'aspetto sottile.

Spencer, senza guardare giù, mi ammonisce:

«Per favore non distrarmi, prova a stare un attimo zitta. Ancora qualche istante e dovrei riuscirci».

Lo seguo con lo sguardo, con abilità passa dal ramo alla finestra entrando così nella mia stanza.

Dopo alcuni istanti, mi apre la porta.

«Quantomeno adesso siamo riusciti a entrare ma dovremo ugualmente sostituire la serratura», sostiene soddisfatto.

Lo guardo, d'impulso vorrei abbracciarlo per ringraziarlo ma, invece, mi limito a proporre:

«Che ne dici di una tazza di thè? Dovrei avere anche una scatola di quei deliziosi dolcetti di Astrid».

«Beh, non posso proprio rifiutare una merenda se offerta da una prestigiosa scrittrice londinese», dice incrociando ancora i miei occhi.

Spencer mi segue in cucina ma stranamente non sembra affatto a suo agio.

«Qualcosa non va?», provo a chiedergli.

«Sai, è da tempo che non entravo in questo cottage».

Poi, puntualizza:

«Parecchio tempo».

Si guarda attorno, si siede alla penisola e, osservandomi prendere dalla credenza quelle simpatiche mug che ho acquistato in paese, esclama:

«È sempre stato Vincent a portare qua i possibili clienti e anche i piccoli lavoretti di manutenzione stagionali non sono stato io a eseguirli».

Per qualche istante né io né lui parliamo, non è da Spencer essere tanto mesto, immagino che questo cottage rievochi in lui molte sensazioni ed emozioni passate.

«Preferisci Earl Grey o thè verde?», gli domando.

«Il thè verde, dalle note proprietà antiossidanti, preferisco serbarlo per la scrittrice».

Sorrido, prediligo di gran lunga queste sue punzecchiature simpatiche che, forse, iniziano a piacermi.

«Devo proprio ringraziarti, non penso che sarei riuscita a intrufolarmi in casa dalla finestra».

Solleva lo sguardo dalla tazza di thè, i suoi occhi sono così profondi e intensi stasera.

«Allora come sta andando il tuo lavoro?», mi chiede addentando un macaron al cioccolato e menta.

«Posso definirmi soddisfatta. Ho parlato anche con Lily, la wedding planner di cui ti avevo accennato, e mi ha confermato che verrà col fidanzato nel weekend delle vacanze di primavera. Allora, non mi hai detto se hai una stanza disponibile a *Spring House*...»

«Sì, tranquilla, ho già controllato. Ovviamente cercherò di sistemarli in una di quelle più confortevoli».

Restiamo ancora un altro po' in cucina a parlare di Orazio, dell'agente e di questa buffa giornata, come se ci conoscessimo da sempre, come dei vecchi amici.

«Io vado, devo ancora sistemare diverse stanze prima che i turisti inizino a riversarsi sulle nostre spiagge».

Si alza e ci incamminiamo fianco a fianco sul portico. Poi si volta, i suoi occhi sembrano indugiare qualche istante di troppo sulle mie labbra, si avvicina e mi sfiora delicatamente la guancia.

Al suo tocco avverto una scossa lungo la schiena, lo guardo, per un attimo penso che vorrei tanto tornare con lui a *Spring House*.

Si avvicina un altro po', annullando quasi lo spazio tra noi, sento l'ormai familiare odore della sua acqua di colonia e il suo respiro sul mio viso, socchiudo gli occhi certa che poserà la sua bocca sulla mia, quando un clacson richiama la nostra attenzione.

È il Van di Orazio.

Lui, abbassando il finestrino, strepita:

«Mi hanno tenuto lì quasi tutto il giorno per quel loro, fottuto, test! E sapete poi cosa mi hanno detto? Che non hanno trovato nessuna sostanza illecita ma solo della semplice erba gatta che io amo mischiare al tabacco».

Addenta una sorta di hot-dog e prosegue:

«Sono esausto ma Spens, non volevo lasciare la tua amica chiusa fuori casa. Datemi un istante per mangiare almeno quest'orrido panino che neppure un ratto assaggerebbe».

Spencer e io ci guardiamo e non possiamo fare altro che ridere.

«Tranquillo, Orazio, siamo riusciti ugualmente a entrare in casa e dall'interno la porta si può anche chiudere. Passa pure con calma domani mattina adesso, dammi retta amico, vattene a casa a riposare», lo invita Spencer.

«Non potete immaginare che favore mi state facendo, ho fame e puzzo come un maiale dopo che si è rotolato nel fango. Allora, passo prima di iniziare a lavorare. Buona serata, ragazzi».

Guardo Spencer.

«È stato cortese a venire qua».

Annuisce, mentre lo osserviamo sparire nella vegetazione.

Vorrei chiedergli di restare a cena ma Spencer si avvicina e mi dà un lieve bacio sulla guancia.

«Ci vediamo Peggy, mi raccomando non combinare altri guai».

Sorrido.

«Ci proverò, ma non garantisco».

Lo osservo incamminarsi per il vialetto. Entro in casa chiudendomi la porta del cottage alle spalle.

Devo ammettere che, anche se spesso non ci sopportiamo e non facciamo altro che discutere, sto iniziando a provare uno strano sentimento per il rude proprietario di *Spring House*. Questo sì che è proprio un disastro!

38. Spencer

Era da un pezzo che non mettevo piede al cottage, tutto sembra essere rimasto proprio come ai tempi in cui in quelle stanze riecheggiavano le nostre risate, quelle di una giovane coppia appena sposata che aveva tanti sogni nel cassetto.

Quegli stessi sogni che Thea ha mandato in frantumi con quel semplice biglietto; solo poche righe in cui mi diceva che sarebbe tornata a Exeter dalla sua famiglia, alla sua vecchia vita fatta di locali alla moda e di un lavoro nello studio notarile del padre.

L'amavo davvero, ho impiegato del tempo per scordarmi di quel suo dolce sorriso che tanto mi ha ferito e adesso, quando tutto sembrava scorrere tranquillo, scandito dalla stessa, spesso monotona, routine, ecco che mi imbatto in lei. Un'impertinente scrittrice di romanzi rosa, cocciuta e incredibilmente ostinata che non fa altro che ritrovarsi in situazioni assurde e che, devo ammettere, sembra essere riuscita a risvegliare sensazioni sopite da tempo.

Mi ero ripromesso che avrei cercato di tenermi alla larga dai coinvolgimenti sentimentali, è proprio per questo che mi vedevo solo con Wendy, una donna delusa, anche lei, dall'amore, che non voleva altro che quello che potevo darle: sesso occasionale e nient'altro.

Ma è questo che voglio davvero?

Scendo dal pick-up, si è alzato un certo vento che preannuncia onde lunghe, ideali per un amante del surf.

Sì, penso proprio che sistemata la sala da pranzo scenderò con la mia vecchia tavola giù in spiaggia: il mare, il suo rumore, non potrà far altro che rilassarmi.

Il telefono mi tiene parecchio occupato con svariate prenotazioni per l'inizio delle vacanze, quando scendo in spiaggia è già pomeriggio inoltrato.

Mi soffermo a osservare il paesaggio, si riesce a scorgere l'intera costa. Mi lego il laccio della tavola alla caviglia e caspita, in lontananza vedo una ragazza con un cane. Dev'essere lei.

Si sta avvicinando, cammina a piedi nudi sul bagnasciuga, di tanto in tanto lancia un legnetto portato dalla corrente al suo amico.

La guardo: stessa figura esile e lunghi capelli ma no, non è Peggy, e devo proprio ammettere che mi dispiace. Mi avrebbe fatto piacere fare una chiacchierata con lei.

39.Peggy

Sono diversi giorni che non vedo Spencer e che soprattutto riesco a non combinare alcun pasticcio. Orazio ha sistemato la serratura, io sto continuando a scrivere con passione ed entusiasmo proprio come facevo un tempo, mi rilasso facendo delle lunghe passeggiate sulla spiaggia con Wolf e mi sto pure dedicando a un corso on-line di yoga.

Nel pomeriggio dovrebbe arrivare Lily col suo fidanzato, ovviamente ho prenotato loro una stanza a *Spring House*.

Sono sul portico, seduta sulla comoda sdraio a prendere un po' di sole con il portatile aperto e un nuovo capitolo da scrivere.

Già mi immagino la faccia soddisfatta di Simon quando leggerà il mio nuovo manoscritto!

Non per essere presuntuosa ma ritengo che questo sia uno dei libri più divertenti e appassionanti che abbia scritto con protagonisti simpatici, situazioni imbarazzanti e battute spiritose e un po' equivoche.

Sento squillare il cellulare, è Lily.

«Ehi, Peggy, ti avevo detto che saremmo arrivati nel pomeriggio ma invece siamo quasi a Polperro. Il navigatore non riesce a trovare *Spring House*, puoi darci un altro riferimento?»

«Provate con Porthcurno Bay, il B&B è proprio sul promontorio che si affaccia sulla spiaggia. Mi faccio trovare lungo la strada maestra, non dovreste avere difficoltà a vedermi, ho una Mini rossa con la Union Jack sulla capote. Da queste parti non se ne vedono molte».

La linea è un po' disturbata, probabilmente staranno passando per queste piccole strade immerse nel verde.

«Allora grazie, a dopo», mi dice Lily riattaccando.

Chiudo il PC, prendo un cardigan e la shopper e, facendo attenzione a non scordare: chiavi di casa, porta aperta o smartphone, salgo in macchina.

Wolf, già stanco dalla nostra passeggiata, decide di mettersi a dormire proprio sul mio maglioncino blu dove rimarranno inevitabilmente parecchi dei suoi soffici peli.

Soffermo la macchina quasi nello stesso punto dove forai la gomma e aspetto che arrivino.

Vedo giungere una macchina sportiva, insolita da queste parti, e immagino che non possa che trattarsi di loro.

L'auto accosta, scorgo scendere una ragazza snella, non molto alta, capelli castano mogano piuttosto lunghi.

Porta dei jeans skinny, una T-shirt rosa cipria e delle deliziose ballerine maculate rosa che vorrei tanto anche per me.

Lily viene ad abbracciarmi come se ci conoscessimo da sempre.

«Grazie davvero per la tua disponibilità. Sei stata proprio un tesoro a venire!»

Lily sorride.

«Sono molto contenta di darti qualche dritta sul mio lavoro per il tuo nuovo romanzo. E poi adoro la Cornovaglia».

Vedo scendere anche colui che immagino sia Chris, il suo fidanzato.

È alto, occhi verdi, capelli castani, ha un fisico atletico, porta una camicia Oxford azzurra e dei jeans. Indossa delle sneakers di un vistoso color arancio. È quello che si potrebbe definire un ragazzo affascinante.

Si avvicina e sorridendo mi porge la mano.

«Chris Glencam. Lily per tutto il tragitto non ha fatto altro che parlare dei tuoi romanzi, penso che li abbia letti tutti», mi informa sfoderando un sorriso smagliante.

«Ne sono lieta! Ovviamente mi auguro che ti siano piaciuti!», dico a lei.

Poi, aggiungo:

«Immagino che vorrete andare in albergo, seguitemi, spero che il B&B sia di vostro gradimento».

Salgo in macchina, Lily e Chris mi vengono dietro.

Prendo la piccola strada immersa nel verde che porta a *Spring House*, percorrendo il vialetto di magnolie sento il cuore iniziare a battere come un matto e penso proprio che sia perché sto per rivedere Spencer.

Il giardino appare subito diverso: a differenza di qualche giorno fa sono parcheggiate alcune macchine.

«È davvero un luogo incantevole, sembra di essere in una cartolina d'altri tempi», sostiene estasiata Lily stringendosi al suo fidanzato.

Sorrido soddisfatta.

«Sì, anch'io penso che *Spring House* sia deliziosa, e poi conosco il proprietario e devo dire che è piuttosto abile in cucina».

Chris, posando la mano sul fianco di Lily, aggiunge:

«Se oltre alla location suggestiva e a una cucina da gourmet aggiungessimo anche del buon vino penso che questa vacanza potrebbe rivelarsi particolarmente piacevole».

Vedo uscire dal B&B due ragazze vestite con dei succinti abitini, probabilmente staranno andando in paese per un aperitivo.

Entro nel piccolo salotto e cavolo, vado a sbattere contro qualcosa o meglio qualcuno.

Sento il rumore di un oggetto che si rompe cadendo e avverto una presa salda che prova a sorreggermi per evitare di farmi crollare a terra in modo alquanto ridicolo. Alzo lo sguardo e vedo che si tratta proprio di lui, Spencer.

«Accidenti, che entrata! Mi ero quasi scordato della tua sbadataggine».

Sorride guardandosi la camicia su cui svetta una macchia arancio.

Poi, spostando lo sguardo sul mio viso e, continuando a tenermi stretta, prosegue:

«Comunque è un piacere riaverti a *Spring House*».

Ci voltiamo e vediamo Lily e Chris che ci stanno osservando.

Un po' in imbarazzo bisbiglio:

«Lei è Lily Chester, la wedding planner che cortesemente mi sta dando una mano col mio libro, lui invece è Chris Glencam, il suo fidanzato».

Poi, continuo:

«Come avrete intuito, lui invece è Spencer Mac Dorner il proprietario di *Spring House*». Li guardo stringersi la mano, poi Spencer li invita a seguirlo per l'abituale registrazione nel B&B.

«Allora ragazzi queste sono le chiavi della vostra stanza, per ogni cosa non esitate a chiamarmi».

Poi, sfoderando quel suo sorriso sghembo che per me è ormai piuttosto familiare, gliele porge e aggiunge:

«Spero che farete una piacevole vacanza in Cornovaglia e, ovviamente, un altrettanto rilassante soggiorno a *Spring House*».

Chris, guardando Spencer e poi me, esclama:

«Questa residenza è incantevole e poi Peggy ne ha decantato la gustosa cucina. Adesso saliamo a farci una doccia. Ci vediamo per cena».

Lily mi guarda.

«Se per te può andare, potremmo vederci qua domani, nel pomeriggio, per la nostra chiacchierata. Buona serata, ancora grazie per averci trovato questa deliziosa sistemazione».

Le sorrido.

«Sono contenta che vi piaccia, allora ci vediamo domani».

Li guardo prendere le scale, Chris scherzosamente le dà una pacca sul sedere, poi li sento ridere e aprire la porta.

Mi volto, Spencer mi sta guardando.

«Come sta andando il tuo lavoro?», chiede ridendo.

«Sto scrivendo parecchio, piuttosto... ho notato che hai già diversi clienti».

«Sì, considerato che non è ancora alta stagione non posso certo lamentarmi».

Si passa la mano sul mento.

«Stasera hai già qualche programma? Se non fosse così, potresti restare qua, in cucina ho già preparato le *pasties* per cena. Fossi in te non ci rinuncerei, sempre che qualcuno non ti stia aspettando a casa...»

Incontro il suo sguardo.

«Non posso proprio dire di no a quelle delizie però devi permettermi di darti una mano».

Lui mi guarda e si mette a ridere:

«Se solo ti facessi avvicinare alla cucina immagino che dovremmo chiamare i pompieri».

Lo guardo in cagnesco e fingendo di mettere il broncio sussurro:

«Se la pensi in questo modo posso anche tornarmene al cottage».

Si avvicina.

«Dai, lo sai che mi diverto semplicemente a prenderti un po' in giro. Avanti, seguimi che ti mostro come si preparano ma ti avviso, se rovini la cena ti sculaccerò», esclama lui ridendo.

Mi volto e, trovando il suo sguardo, sento le guance arrossarsi.

40. Spencer

Prendo un grembiule da cucina identico al mio e con abilità glielo annodo sulla schiena. Un po' impacciata, sta tagliando a listarelle le verdure proprio come le ho chiesto.

Divido l'impasto che avevo già preparato in alcuni dischi e con il mattarello inizio a stenderli, senza dimenticarmi di buttare un "occhio" al suo lavoro.

«Peggy, per favore, prendimi quella padella con il ripieno di verdure e vieni a darmi una mano», le dico.

Le mostro, così, come farcire il disco andando a formare una sorta di mezzaluna e poi come sigillarne i bordi pizzicandone un lato con la tecnica della "spighetta".

Lei, facendo attenzione a non rovesciare la terrina, imita quanto le ho appena fatto vedere.

«Accidenti, non avrei immaginato che qualcuno mi avrebbe insegnato a cucinare queste delizie e poi devo proprio ammettere che, mio caro Mac Dorner, non sei affatto male come chef».

La guardo da sopra l'impasto sorridendo.

«Immagino che questo lo dovrei prendere come un complimento!»

Poi, avvicinandomi a lei, sussurro al suo orecchio:

«Forse, passando del tempo con me, stai iniziando a valutare in modo differente il tuo fidanzato, sai, in qualcosa potrei anche superarlo».

«Sei sempre così modesto?», sbotta continuando con meticolosità il suo lavoro.

Alzo le mani in segno di resa.

«Tranquilla, immaginavo che non lo avresti mai ammesso. Tu e io signorina Cennevan siamo più simili di quanto tu voglia ammettere, mi risulta che pure tu abbia un'alta considerazione di te».

Le porgo la mano:

«Abbiamo fatto un armistizio, ricordi?»

La guardo, i miei occhi sono fissi sul suo viso, non hanno assolutamente intenzione di spostarsi.

Mi avvicino un altro po' annullando quasi lo spazio tra noi, avverto il suo dolce respiro, l'odore familiare del suo shampoo poi allungo la mano per sfiorale appena la guancia.

Che stai facendo Spencer? Lo sai bene, le donne portano con loro solo guai e poi Miss Cennevan vanta, tra l'altro, una serie di qualità che odi.

Fanculo tutto, stasera non starò di certo qui ad ascoltare quella parte razionale che mi suggerisce di spostarmi, di allontanarmi.

Mi avvicino ancora:

«Lo sai, vero, cosa succede quando lo spazio tra due persone scende al di sotto della distanza di sicurezza?»

41. Peggy

Continua a fissarmi senza aver la minima intenzione di spostare gli occhi dal mio viso. No, non sarò io ad abbassare lo sguardo, voglio proprio vedere cosa vuole fare adesso.

Si avvicina ancora, lo spazio tra noi è ormai nullo. Il cuore impazzisce, sento l'odore della sua acqua di colonia mischiato ai profumi che inebriano la cucina.

Poi vedo spuntare sulle sue labbra un accenno di quel suo solito sorriso sghembo.

«Lo sai, vero, cosa succede quando lo spazio tra due persone scende al di sotto della distanza di sicurezza?», mi chiede.

Con un sussurro replico:

«Di quale distanza stai parlando?»

«Se si scende sotto i dieci centimetri scatta inevitabilmente un bacio», mi informa protendendosi su di me.

Spostati! Cazzo, Peggy, spostati adesso!, mi ripeto, ma la parte irrazionale di me non ne ha alcuna intenzione.

Quasi sulla mia bocca dice:

«10, 9, 8, 7, 6...»

Mi sembra di impazzire, poi allunga la mano e con un dito mi sfiora le labbra. Socchiudo gli occhi, lui prosegue:

«5, 4, 3...»

Sposta la mano sulla mia schiena, al suo tocco avverto una scossa, il cuore impazzisce al punto che penso che adesso possa quasi sentirne i suoi battiti.

Le nostre labbra stanno quasi per sfiorarsi, mi sembra quasi di percepire quella dolce e sensuale pressione esercitata dalla sua bocca sulla mia ma, come in tutte le commedie romantiche che si rispettino, delle grida stridule ci fanno sobbalzare.

Ci guardiamo.

«Che sta accadendo di là?», mi interroga Spencer spazientito.

«Beh, immagino che dovresti uscire da questa cucina e andare a vedere».

Spencer si toglie il grembiule gettandolo sul tavolo.

Io resto un istante lì in compagnia di quel bacio non dato e, accidenti Peggy, cosa cavolo vuoi combinare adesso? Non sei soddisfatta dei guai che sei riuscita a collezionare da quando sei arrivata a Porthcurno? Adesso vuoi anche una *liaison* con Spencer?

Respiro e lo seguo in giardino.

Quello che vedo è assurdo: Wolf è attaccato alla zampa di una grossa rottweiler e, assicuro, non ha intenzioni ostili.

La padrona, una delle ragazze che poco fa è uscita ancheggiando con un vestitino davvero striminzito, sta provando a staccare il mio cane che però sembra non voler demordere.

«Qualcuno vuole prendere questo pazzo?», ci intima la giovane, praticamente seminuda, mettendo la sua quarta misura sotto al naso di Spencer.

Lui, ignorandola, afferra il mio fedele amico che ringhiando pare non gradire per niente.

«Se non fossi arrivato tu non so proprio come avrei potuto fare!», prosegue la ragazza con un marcato accento americano mettendogli una mano sul bicipite.

Questo gesto mi innervosisce, praticamente non si conoscono e già gli mette le mani addosso.

«Tranquilla Jenny, questi sono solo dei piccoli inconvenienti».

La ragazza gli si avvicina.

«Allora Spency ci vediamo a cena, sono proprio contenta di poter assaggiare le tue *pasties*», prosegue lei soddisfatta incamminandosi, sculettando, su per le scale.

Spencer mi guarda mettendosi a ridere.

«A quanto pare adesso, oltre alla padrona, anche Wolf vuole cominciare a mettermi nei guai. Devo ammettere però che ha buon gusto, anche se per lui è un tantino fuori taglia».

Lo guardo irritata.

«A quanto vedo hai già avuto modo di familiarizzare con quella stangona dalle gambe chilometriche... giusto Spency?», le faccio il verso io rientrando in cucina per prendere la mia borsa.

Lui mi segue.

«Adesso che stai facendo?»

«Non vedi? Sto prendendo la mia borsa per tornarmene a casa. Puoi sempre chiedere alla tua amichetta di darti una mano in cucina con le *pasties*», concludo prendendo la shopper dall'alto sgabello.

Spencer si avvicina.

«Qualcuno è vagamente geloso?»

Mi volto.

«Gelosa, io? Di te? Sei pazzo. Tu e io siamo due pianeti distanti anni luce che non potranno mai incontrarsi!»

Mi guarda serio.

«Dici davvero, Peggy?»

Per qualche istante non emetto alcun suono, restiamo lì fermi a guardarci.

«Comunque, io adesso vado».

Faccio per uscire dalla cucina ma Spencer mi trattiene per la mano.

Passo lo sguardo dalla sua mano stretta alla mia, al suo viso.

«Per favore, resta».

Prende il grembiule che mi ero appena tolta e me lo porge.

«Non puoi tornare adesso al cottage, devi assaggiare le mie appetitose *pasties* e poi, con te Peggy, mi pare quasi di essere il protagonista maschile di una di quelle sdolcinate commedie che piacciono tanto a voi donne».

Lo guardo e non posso fare altro che ritrovarmi a sorridere:

«Solo per informazione, di quali commedie stai parlando?»

Faccio per annodare di nuovo il grembiule ma Spencer si avvicina e, togliendo le mie mani dal nastro, è lui a fare il fiocco mantenendo per qualche istante di troppo le sue sopra i miei fianchi.

«Mi riferivo a quelle buffe commedie in cui una protagonista insolente come te continua a mettere nei guai un affasciante, nonché cortese, uomo d'altri tempi come il sottoscritto!»

Sollevo lo sguardo e sbuffando puntualizzo:

«Forse vorrai dire rude, scontroso e, a tratti, irritante?»

Sorride.

«Direi di rimandare questa chiacchierata! Mettiamoci al lavoro, stasera *Spring House* è al completo».

Riprendiamo a preparare la cena con Wolf che, ancora indispettito per poco fa, reclama qualcosa da rosicchiare.

42. Spencer

Guardo soddisfatto il tavolo della cucina su cui fanno bella mostra di sé le *pasties* appena cotte.

«Sei stata un'assistente davvero preziosa».

Si volta appena e mi rivolge un sorriso compiaciuto.

«È stato divertente, non immaginavo che cucinare potesse piacermi tanto».

Poi, toccandosi le guance arrossate, aggiunge:

«Piuttosto vado in bagno a sistemarmi un istante, penso che il mio aspetto ricordi quello di una pazza!»

La guardo, vorrei dirle che non sembra affatto una matta e che adesso, con la farina sul mento e i capelli raccolti distrattamente con un fermaglio, è davvero incantevole.

«Hai lavorato sodo e, per quello che può contare, io adesso ti trovo estremamente sexy», ammetto certo mi metterla in imbarazzo.

Arrossisce e senza permettermi di aggiungere altro prende la shopper.

La trattengo per la spalla.

«Peggy, se vuoi vai pure nella mia stanza, sai qual è», la invito porgendole la mia chiave.

Lei la prende e si incammina su per le scale. Io resto lì, appoggiato alla porta della cucina a osservarla, accidenti cosa cavolo mi stai facendo signorina Cennevan?

Perché quando sono con te tutto appare così diverso?

Lo squillo del cellulare mi avvisa che ho un messaggio da leggere, è Wendy, vorrebbe che passassi da lei, ma io non ne ho voglia, così mi limito a scriverle che *Spring House* è al completo e che il lavoro da fare è tanto.

So bene che invece la ragione è un'altra e ha dei lunghi capelli mogano, dice sempre quello che le passa per la mente, porta delle ridicole scarpe rosa e quando ancheggia in cucina mi fa letteralmente impazzire.

Mi sto mettendo nei guai, l'ho capito nel momento stesso in cui la nostra cocciuta autrice londinese ha cominciato, con le sue risposte argute, a "solleticare" la mia immaginazione.

43. Peggy

Salgo le scale e mi dirigo nella sua stanza: la finestra è ancora aperta, si sente il rumore delle onde che si infrangono sulla spiaggia, mi avvicino e accidenti, da qui si vede praticamente l'intera costa.

Sul comò alcune camicie e un libro: è un giallo storico, è ovvio che Spencer non poteva che leggere qualcosa di simile.

Vado in bagno e mi do una lavata al viso.

Sulla mensola vedo quello che dovrebbe essere il suo aftershave e la sua acqua di colonia.

La prendo e inspiro quel profumo che inizia a piacermi e a suscitare in me diverse emozioni contrastanti.

Provo poi a sistemare i capelli in una coda e, rovistando nella shopper riesco a scorgere il mio amato gloss nude e il *Kajal*.

Mi soffermo ancora un istante a osservare il mare, quella distesa turchese e sconfinata che con forza lambisce la spiaggia dorata di Porthcurno Bay, è davvero incantevole, quasi magica direi.

Scendo di sotto, in giardino vedo Lily e Chris che stanno passeggiando mano nella mano, sembrano davvero innamorati.

Lily vedendomi si avvicina.

«Oh, ciao Peggy. Non immaginavo di trovarti qui stasera».

«Sono rimasta a dare una mano a Spencer...»

Poi, aggiungo:

«Voi avete già deciso l'itinerario per la vostra vacanza?»

Chris, cingendole i fianchi, risponde:

«Buonasera Peggy, aspetto con ansia di assaggiare le *pasties* del tuo ragazzo. Tutti qua non fanno altro che decantarne la squisitezza, ci hanno detto che non hanno rivali».

Arrossendo, preciso:

«Ehm, Spencer e io siamo soltanto amici».

Lily mi guarda sorpresa.

«Pensavo proprio che voi due foste una coppia».

Rimango a parlare un po' con loro, poi vedo Spencer avvicinarsi: tiene fisso lo sguardo nei miei occhi, si è cambiato, ha messo una camicia e dei jeans, ha ancora capelli umidi.

«Buonasera ragazzi, se volete, ho appena preparato un aperitivo in veranda», dice continuando a fissarmi.

«Adoro già *Spring House*, inizio a pensare che dovremmo venirci più spesso», puntualizza Chris dando un frettoloso, quanto dolce, bacio sulla spalla leggermente scoperta della sua fidanzata.

Spencer sorride.

«Su andate, ho stappato uno Chardonnay che dovrebbe proprio essere di vostro gradimento».

***

In veranda un ragazzo sta versando i cocktail agli ospiti.

Guardo Spencer.

«Non sapevo che avessi dei collaboratori! Pensavo che facessi tutto quanto da solo».

«Si vede che per te questo è un mondo sconosciuto. Con *Spring House* al completo si hanno molte cose da fare e di cui occuparsi. Mi danno una mano sia Rudy, il ragazzo che sta preparando i drink, che la signora Horsewoff che invece è addetta alle pulizie».

Prende un calice, versa del vino, e me lo porge.

Chris e Lily si avvicinano.

«Allora Spencer, avresti qualche suggerimento per la nostra vacanza?»

Si passa una mano sul mento.

«Non so i vostri gusti ma se siete degli amanti del mare e del surf come me, Porthcurno Bay con le sue onde lunghe è proprio l'ideale. In questo periodo poi le spiagge non sono ancora affollate dai turisti, vi potrete quindi rilassare prendendo il primo sole di stagione».

Fa una piccola pausa assaporando il vino, poi prosegue:

«Da qui potrete facilmente fare una gita nel piccolo e ridente paese di Saint Ives e anche a Saint Michael's Mount, un autentico gioiello della Cornovaglia».

Lily, entusiasta come una bambina il giorno di Natale, abbraccia con slancio Chris:

«Oh, amore, sono davvero contenta di questa nostra piccola vacanza e tutto questo è merito di Peggy!»

Un po' in imbarazzo dico:

«Mi fa piacere, Lily».

La solita voce stridula si avvicina reclamando l'attenzione di Spencer.

«Scusate ma dovrei rubarvi un attimo Spency...»

Poi, puntualizza:

«Ho un problema con la persiana della mia stanza».

Spencer ci guarda.

«Mi dispiace ragazzi ma a quanto pare devo risolvere questo piccolo inconveniente. Se volete, dopo cena, mi farà piacere continuare la nostra chiacchierata e darvi anche qualche brochure per organizzare il vostro itinerario».

Mi volto, si stanno incamminando. Vedo che Jenny ne approfitta per avvicinarsi ancora a lui e accarezzargli la schiena.

Accidenti, a quanto pare non riesce proprio a tenere le mani a posto!

Chris, quasi indovinando i miei pensieri, esclama:

«Quella ragazza è indubbiamente sensuale e immagino che sia piuttosto interessata al nostro amico ma devo anche ammettere che ha una voce che dà proprio sui nervi».

Lily gli assesta una gomitata nel fianco.

«Cosa vorresti dire?», gli chiede mettendo un ghigno.

Chris l'attira a sé:

«Lo sai che ho occhi solo per te».

Poi Lily mi chiede:

«Che ne dici Peggy se aspettando le *pasties* iniziassimo la nostra chiacchierata?»

«Quando preferisci anche se non vorrei annoiarvi con tutte le mie domande...»

«No, tranquilla, mi fa piacere darti una mano e poi ormai Chris è abituato alle mie lunghe chiacchierate con spose capricciose. Parlare con te non lo infastidirà affatto».

Lily e io ci sediamo su un divanetto e, sorseggiando i nostri drink, cominciamo a parlare di location, abiti da sposa, pizzi inglesi, merletti e di tutta l'organizzazione che è dietro al grande giorno degli sposi.

Con la mente però sono altrove, continuo a pensare a cosa starà facendo Spencer: sarà in cucina a sistemare le *pasties* o sarà ancora in compagnia di quella stangona?

Anche se questo non dovrebbe interessarmi, spero proprio che non abbia accettato la corte di quella giovane.

Continuiamo a parlare, ho annotato alcuni dettagli e trucchi del mestiere, poi Rudy esorta agli ospiti di *Spring House* ad andare in giardino per la cena.

«Lily grazie, sei stata molto cortese».

Lei, sorridendo, si alza dal divanetto.

«Di niente, sono contenta se questo potrà esserti utile per il tuo nuovo romanzo».

Lily e Chris si siedono al loro tavolo, io invece un po' in imbarazzo non so neppure dove accomodarmi, tutti i tavoli sono riservati.

Sto quasi per andare a prendere la macchina per tornare al cottage quando Spencer si avvicina.

«Che stai facendo?»

Lo guardo.

«Semplice, tu ti sei eclissato con la tua amichetta e qui non ho neppure un tavolo dove sedermi!»

Mi prende per mano e mi tira.

«Vieni con me...»

44. Spencer

Seguo la mia ospite su per le scale, ha un vestitino tanto striminzito che l'immaginazione maschile non deve lavorare affatto.

Forse un tempo avrei anche gradito questa visuale sul suo fondoschiena ma la mia mente non sembra per niente interessata alle sue curve.

«Mi sembra strano che tu abbia dei problemi con la persiana, l'avevo sistemata qualche giorno fa, si apriva e si chiudeva senza alcuno sforzo!», dico entrando nella sua stanza.

Jenny chiude la porta alle nostre spalle e si avvicina posando una mano sul mio petto.

«E se ti avessi detto della finestra solo per poter stare un attimo da sola con te, ti arrabbieresti?», mi sussurra giocherellando con i bottoni della mia camicia.

Gli sposto la mano dalla manicure impeccabile.

«*Spring House* è al completo, devo scendere di sotto per servire la cena», provo a dire.

Ma lei niente, sembra intenzionata a continuare.

«I tuoi ospiti si stanno gustando l'aperitivo e nessuno noterà nulla...»

Si avvicina e, senza alcun imbarazzo, inizia a sbottonarsi il vestito.

Io la fermo.

«Mi dispiace Jenny, sei una splendida ragazza ma io non sono interessato».

La guardo e aggiungo:

«Devo scendere e ti suggerisco di fare altrettanto, la cena sta per essere servita».

Mi volto e, senza aspettare una sua risposta, mi incammino di sotto.

Sono sulle scale quando vedo Peggy.

«Che stai facendo?», provo a domandarle.

Lei si volta, sembra nervosa anzi direi quasi arrabbiata.

«Semplice, tu ti sei eclissato con la tua amichetta e qui non ho neppure un tavolo dove sedermi!»

Mi avvicino e le prendo la mano.

«Vieni con me...»

Faccio dietrofront e ci incamminiamo su per le scale mantenendo le nostre dita intrecciate.

«Allora, mi vuoi dire dove mi stai portando?», continua a ripetere.

Mi volto e, trovando il suo sguardo, le rispondo sorridendo:

«Non ne vuoi proprio sapere di stare zitta un attimo? Aspetta e vedrai».

Prendo dalla tasca dei jeans la chiave della mia stanza e apro la porta.

Lei mi guarda perplessa.

«Scusa mi vuoi dire perché mi hai portato qui?»

La guardo.

«Non preoccuparti Peggy non ho intenzioni equivoche e non voglio neppure sedurti».

Poi, ridendo, mi avvicino al suo orecchio e puntualizzo:

«Almeno, non per adesso...»

Salgo sulla sedia e, allungandomi, sposto il pannello dal soffitto da cui esce la scala pieghevole.

Inizio a salire sui ripidi gradini poi mi volto e le porgo la mano.

«Che fai, vuoi restare lì?»

Peggy solleva il viso ed ecco che i nostri occhi si trovano, quello sguardo tanto intenso che è riuscito a risvegliare in me sensazioni che non provavo da tempo.

«Accidenti Spencer dove stiamo andando? Vuoi per caso che ti dia una mano a riparare qualche asse del tetto?», replica lei afferrando la mia mano.

«Tranquilla nessun lavoro di manutenzione per stasera. Solo tu, io, dell'ottimo cibo e Porthcurno...», mi limito a dire.

45. Peggy

La scala porta in una soffitta, è differente da quelle che si vedono nei film o di cui si legge nei libri, questa è ordinata: niente polvere, ragnatele, vecchi bauli o oggetti messi alla rinfusa.

Ancora non capisco, mi chiede di restare qua per dargli una mano in cucina e per poter assaggiare le sue rinomate *pasties* e invece mi porta quassù.

Da una finestra filtra il chiarore della luna, Spencer la apre.

«Dai seguimi», mi intima protendendosi per uscirvi.

«Ma sei pazzo? Vuoi cadere di sotto? Dovremmo essere sul tetto!»

Sorride.

«Appunto, è proprio lì dove stiamo andando».

Spencer mi dà una mano a passare dalla finestra... continuo a pensare che da quando sono in Cornovaglia non faccio che ritrovarmi in situazioni assurde e surreali.

Sollevo lo sguardo e quello che vedo è magico.

Siamo in una sorta di piccola terrazza a tasca ricavata nel tetto di *Spring House*, vedo una coperta tartan sui toni del verde con sopra una bottiglia di vino e i nostri piatti.

Lo guardo, non so davvero che dire.

«Signorina Cennevan, stasera avrai l'onore di poter assaggiare le mie *pasties* proprio qui, su questo tetto», mi informa stappando la bottiglia.

Mi porge il calice.

«Questa serata merita un brindisi... a cosa vuoi brindare, Peggy?»

Un po' impacciata azzardo:
«Alle amicizie inaspettate».
Prima di far tintinnare i nostri bicchieri mi chiede:
«Sei certa che la nostra sia un'amicizia inaspettata?»
Mi mordicchio nervosamente il labbro, per un istante resto lì a fissare quei suoi occhi verdi in cui adesso mi pare semplice perdersi.
Poi ripeto:
«Alla nostra amicizia Spencer, inaspettata e surreale».
Sorride.
Mi siedo sulla morbida coperta, si sente in sottofondo il rumore delle onde che si infrangono sulla spiaggia.
La luna si riflette nel mare e un leggero venticello mi accarezza il viso, mi volto e per qualche istante mi ritrovo a fissarlo. Accidenti, cos'è questa strana sensazione che inizio ad avvertire quando sono con lui?
Spencer è l'esatto opposto di quello che apprezzo in un uomo: è scortese e spesso insolente ma stasera quello sguardo sembra riuscire a catturare ogni mio senso.
Sollevo il coperchio dal piatto, guardo le mie *pasties* e non posso farea a meno di sorridere: nessuno mi aveva mai preparato una cena del genere su di un tetto.
«Allora?», mi chiede guardandomi assaggiare quelle delizie.
«Sono squisite, le più appetitose che abbia assaggiato».
«Mi fa piacere! Piuttosto, la tua amica mi ha fatto cambiare idea sulle wedding planner, non è affatto indisponente o spocchiosa. Anche il suo fidanzato mi sembra un tipo simpatico».
Mi riempie di nuovo il bicchiere.
«Vacci piano, non voglio ubriacarmi, ti rammento che devo guidare per tornare al cottage e non ho nessuna intenzione di

essere portata di nuovo in centrale, stavolta, per guida in stato di ebbrezza».

Si mette a ridere.

«Posso riaccompagnarti io o, in alternativa, puoi sempre restare qua».

Lo guardo.

«Ma *Spring House* è al completo, no?»

«Potresti sempre dividere la stanza con Jenny, ho notato che avete già fatto amicizia», afferma lui ridendo.

Già, Jenny. Quasi me ne stavo dimenticando, vorrei proprio sapere cos'hanno combinato poco fa.

«Quelle come lei proprio non le sopporto. Cos'aveva? Un problema con la persiana?», chiedo con un po' di rancore.

«Diciamo che avrebbe gradito un po' di attenzioni».

«Immagino che tu non te lo sarai fatto di certo ripetere, voi uomini siete tutti uguali: appena qualcuno vi mette sotto al naso delle tette perdete ogni capacità di ragionare».

Prima che possa aggiungere altro o anche solo formulare altri pensieri, Spencer si protende verso di me e con la mano mi sfiora la guancia.

«Mi dispiace mia cara signorina Cennevan ma adesso sei in errore: Jenny è indubbiamente una ragazza sensuale e non posso negare che ci abbia provato in modo alquanto esplicito, ma non è lei a esser riuscita ad attirare la mia attenzione...»

Restiamo così, la sua mano sulla mia guancia, i miei occhi che non riescono a spostarsi dai suoi e il rumore del mare in sottofondo.

Si avvicina un altro po' e proprio come poco fa i nostri volti e le nostre labbra stanno quasi per sfiorarsi.

Non so che pensare, sono un misto di emozioni contrastanti: una parte di me vorrebbe rimanere qua con lui su questo tetto e poter assaporare un suo bacio per scoprire così quali sensazioni susciterebbe in me, ma la parte razionale, quella a cui generalmente do ascolto, mi suggerisce invece di non mettermi nei guai.

Decido di assecondare la parte sensata e non il cuore.

«È stata davvero una magnifica serata, grazie, ma forse adesso dovremmo scendere. Hai degli ospiti che si staranno chiedendo dove si è cacciato il padrone di *Spring House*», ammetto io rompendo questa magia tra noi.

Mi guarda, probabilmente non riesce a capirmi, forse non ci riesco neppure io.

«Rudy non avrà problemi, è già da un po' che lavora con me e poi non possiamo ancora scendere».

Si alza, lo vedo intrufolarsi nella soffitta dalla finestra.

Dopo alcuni istanti ritorna portando con sé la classica confezione per torte.

Si siede e, con attenzione, estrae dalla scatola una piccola sacher.

«Spero che ti piaccia, non mi cimento molto spesso in questo tipo di dolce però, quando stamattina sono sceso in cucina per organizzare la cena di stasera, mi è venuta in mente una certa scrittrice e così ho deciso di preparare questa sacher».

Taglia una fetta e me la porge riempiendo ancora il mio bicchiere.

Poi aggiunge:

«Non avevo idea che saresti passata per accompagnare qua i tuoi amici e invece eccoci qui: tu, io, un tetto su cui farsi cullare dal rumore del mare e una torta da assaggiare, strano no?»

Addento il morbido pan di spagna, noto subito qualcosa di diverso da quello che mi aspettavo. Questo dolce è farcito con un'altra marmellata, non quella, tipica, di albicocche.

Mi guarda.

«Non ti piace?»

«Assolutamente, è deliziosa. Mi chiedevo soltanto quale confettura avessi usato».

Mi guarda.

Accipicchia Spencer la vuoi smettere di fissarmi così? Ma i suoi occhi non hanno proprio intenzione di spostarsi dal mio viso, dalle mie labbra.

«Pochi avrebbero notato la differenza».

Poi, avvicinandosi un altro po', aggiunge:

«È di mirtilli, potrebbe sembrare insolito ma insieme al cioccolato amaro è una combinazione magica».

Poi, ridendo, puntualizza:

«Afrodisiaca».

Con il viso rosso per l'ennesimo imbarazzo esclamo:

«Mio caro Spencer non farti idee assurde, a noi non serve di certo cibo dal potere afrodisiaco».

Lui si avvicina ancora.

«Su questo la penso come te Peggy, immagino proprio che a noi non servirebbe niente di tutto questo».

Portando di nuovo lo sguardo sulle mie labbra mi chiede:

«Sei davvero innamorata, Peggy?»

Non immaginavo proprio questa domanda.

«Non deve interessarti, Spencer», provo a rispondere quasi sfiorando con le mie labbra le sue.

«Dici?»

Porta la mano sulla mia guancia, non riesco a spostare lo sguardo dai suoi occhi verdi. Avverto una scossa lungo la schiena, il cuore impazzisce tanto che temo che lui possa sentirlo.

Dovrei spostarmi, lo so, questo è ciò che farebbe una donna dotata di un minimo di razionalità e autocontrollo, ma io invece non ne ho proprio intenzione anzi, voglio vedere fino a che punto vuole arrivare.

Inclina la testa, io lo assecondo facendo lo stesso, sento il suo respiro sul mio viso, la sua mano adesso mi accarezza la schiena, lo sento giocherellare con la stoffa della mia maglietta. Si avvicina ancora annullando il poco spazio rimasto tra noi, praticamente le nostre labbra stanno per toccarsi ma il cellulare di Spencer inizia a squillare.

Mi allontano.

Spencer innervosito prende il telefono.

«Rudy? Dimmi...»

Dopo un istante dice:

«Arrivo, arrivo! Tu, intanto, se ci riesci, cerca di staccarlo».

Mi guarda.

«Corriamo, a quanto pare Wolf ha proprio una cotta per quel cane. È di nuovo avvinghiato al grande rottweiler di Jenny e penso che tu possa immaginare la reazione della sua padrona».

46. Spencer

Accidenti, non riesco proprio a capire cosa riesca a scatenare in me Peggy! Sono attratto da lei e sono certo che anche per lei valga la stessa cosa: vorrei assaporare quelle labbra color pesca, sentire le sue mani su di me, e... cazzo Spencer devi assolutamente smetterla di pensare a lei in questo in modo!

Ricorda: lei è qui per lavorare, scritto il suo nuovo romanzo tornerà a Londra e tu ti ritroverai ancora con il cuore spezzato e poi... insieme non fate altro che litigare!

Scendiamo la ripida scala e corriamo in veranda dove Rudy sta cercando di calmare Jenny.

«Stacca quell'animale dalla mia cagnetta», continua a ripetere a Rudy che, invano, sta cercando di spostare Wolf.

Mi faccio spazio tra gli ospiti di *Spring House* che osservano divertiti questa scena.

«Adesso calmati Jenny, non è successo niente. Sembra soltanto che a Wolf piaccia molto la tua Vivian».

Mi avvicino e con abilità prendo il nostro piccolo latin lover e lo stacco di nuovo dalla zampa del rottweiler.

Peggy prende il guinzaglio e glielo mette prima che Wolf si precipiti ancora a infastidire Vivian e soprattutto la sua padrona.

Jenny, si avvicina furente a Peggy.

«Senti tesoro, dovresti imparare a tenere a freno quel maniaco sessuale del tuo cane».

Continua a fissarla minacciosa.

«Mi dispiace per Wolf, ti assicuro che non si era mai comportato in questo modo», puntualizza sperando di placare la sua ira.

Jenny, però, sembra non voler accettare le sue scuse.

«Vengo qua per rilassarmi in questa stupenda location e invece mi ritrovo quel tuo odioso animale che continua a disturbare la mia cagnetta».

«Te l'ho già ripetuto, mi dispiace, ma ora dovresti calmarti».

Peggy prende dal corner degli aperitivi un bicchiere di prosecco e glielo porge, mossa alquanto azzardata direi.

«Tieni, forse questo ti darà una mano a distendere un po' i tuoi nervi».

Jenny non se lo fa ripetere, prende il calice e, senza aggiungere altro, glielo rovescia in faccia.

Nessuno parla, tutti guardano sbigottiti.

Prima che una delle due possa anche solo proferire parola afferro la mano di Peggy e dico:

«Ragazze calmatevi, a *Spring House* non voglio assolutamente assistere a queste sceneggiate».

Poi, rivolto a Jenny, aggiungo:

«Peggy si era già scusata, questo mi è sembrato un gesto davvero maleducato. Provvederò a fare in modo che nessuno infastidisca né te né Vivian. Adesso proporrei a tutti di metterci ai tavoli per assaporare una gustosa cioccolata con panna o in alternativa, per placare la collera, una tisana rilassante!»

Mi volto, Peggy si sta asciugando la maglietta, sembra piuttosto arrabbiata. Mi avvicino e le sussurro:

«Dovresti metterti qualcosa di asciutto, vieni con me, guardo di trovarti una T-shirt».

Mi segue di nuovo su per scale poi, sulla porta della mia stanza, mi metto a ridere.

«Scusami Peggy ma quando sei nei paraggi non ci si annoia mai e soprattutto non si può stare di certo tranquilli».

Solleva lo sguardo.

«Avrei voluto gettarle il piatto con il dolce in faccia, ma mi dispiaceva sprecare tanta delizia con quella *pin-up*».

Entriamo nella mia stanza, prendo dal comò una maglietta con una simpatica immagine di un *West Highland White Terrier* e gliela porgo.

«Doveva essere già nervosa per essere stata respinta dal sottoscritto e ha deciso di sfogare la sua rabbia con te».

Trovando il suo sguardo, puntualizzo:

«Come ti ho detto c'è un'altra ragazza che riesce a catturare ogni mio senso, e non è lei...»

Per qualche istante restiamo lì, Peggy tiene in mano la mia maglietta, i miei occhi non hanno intenzione di spostarsi dal suo viso, dalla sua bocca che sembra quasi chiedere di essere baciata.

«Mi cambio e poi vorrei tornare al cottage. Questa è stata davvero una serata movimentata».

«Davvero non vuoi restare? Puoi dormire tu nel mio letto, per me non sarebbe un problema sistemarmi sul divano», provo a suggerire.

«Grazie, ma preferisco tornare a casa. Wolf ha già combinato fin troppi guai».

«Ti aspetto di sotto e poi ti riaccompagno a casa. Hai bevuto un po', la macchina te la riporterò io domani».

Mi volto e mi incammino di sotto.

47 Peggy

Sono nella sua stanza con indosso una sua maglietta e la mente che continua a ripensare a questa strana serata.

Socchiudo gli occhi e respiro: devo assolutamente riprendere il controllo e smettere di pensare alle sue labbra che pericolosamente stavano per sfiorare le mie.

Quando scendo in giardino, Spencer sta parlando con Chris. Lily, scorgendomi, si avvicina.

«Quella è davvero una pazza, se fossi stata al tuo posto penso proprio che saremmo finite alle mani!»

Sorrido.

«Devo dirti che avrei tanto voluto prendere la sacher e spiaccicargliela in faccia ma quel dolce era talmente squisito che sarebbe stato assurdo sprecarlo in quel modo».

Poi, aggiungo:

«Beh, io adesso torno a casa. Vi auguro di passare una piacevole vacanza. Grazie ancora per la chiacchierata che abbiamo fatto poco fa, farò tesoro delle tue dritte per la stesura del mio libro».

Lily mi abbraccia.

«È stato un vero piacere, sono contenta di poter contribuire, anche se con poco, alla realizzazione del tuo nuovo capolavoro».

Beve un sorso dell'infuso che ha in mano poi prosegue:

«Piuttosto, avevo pensato che potremmo organizzare una serata in qualche locale sulla spiaggia. Potresti venire con Spencer, mi sembra che tra voi ci sia una certa intesa».

Arrossisco.

«Mi sembra un'idea deliziosa, anche se non so se Spencer potrà unirsi a noi. So che in questo periodo ha parecchio da fare qui a *Spring House*».

Chris e Spencer si avvicinano.

«Ragazzi, buonanotte io adesso riporto a casa la nostra scrittrice».

Prendo la shopper e abbraccio di nuovo Lily.

«Buonanotte ragazzi, divertitevi in spiaggia».

Chris stringendo Lily per i fianchi esclama:

«Abbiamo in programma di passare la mattina in spiaggia a fare surf, Spencer mi ha appena suggerito di usare la sua vecchia tavola *short* che è perfetta per queste onde».

Lily lo guarda sognante:

«Vorrai dire che tu farai surf; io mi rilasserò leggendo uno dei libri di Peggy».

Sorrido.

«Allora ragazzi divertitevi!», auguro loro seguendo Spencer in giardino e salendo sull'ormai familiare pick-up.

Per tutto il tragitto non dico niente, di tanto in tanto mi ritrovo a osservarlo con la coda dell'occhio e noto che anche lui fa lo stesso.

La radio passa *Someone you loved,* Spencer e io ci troviamo a cantare quella dolce melodia:

I need somebody to heal
Somebody to know
Somebody to have
Somebody to hold
It's easy to say
But it's never the same
I guess I kinda liked the way you numbed all the pain

A un tratto, intravediamo il solito cartello in legno con la scritta *Porthcurno Cove*.

Spencer imbocca la strada sterrata e parcheggia.

Ci incamminiamo per il vialetto, Wolf corre contento per il giardino disseminando pipì a ogni cespuglio.

Siamo sul portico, un lieve venticello scompiglia la mia coda.

Lo guardo, sento qualcosa tra noi, qualcosa di diverso, di impalpabile e magico.

«Grazie di avermi riportata a casa, mi gira un po' la testa, sai non sono abituata all'alcool anche se devo ammettere che quello Chardonnay era davvero squisito per non parlare poi delle *pasties* e di quella tua sacher».

Solleva lo sguardo, resta qualche istante a fissarmi.

«Mi fa piacere che ti sia piaciuta la cena».

Poi sorridendo aggiunge:

«Anche se mi dispiace per la scenata di Jenny ma si sa, le donne tra di loro possono essere davvero perfide. Penso proprio che fosse gelosa di te, Peggy».

Lo guardo perplessa.

«Gelosa di me? Quella stangona dalle gambe chilometriche che potrebbe tranquillamente essere una modella di *Victoria's Secret*?»

Si passa la mano sulla lieve barba appena accennata che lo rende incredibilmente sexy.

Si avvicina e si china a darmi un lieve bacio sulla guancia.

«Buonanotte Peggy, penso proprio che adesso dovrei andare. Tu hai bevuto e pure io non sono stato a guardare».

Lo guardo, vorrei chiedergli di entrare ma invece mi limito a dirgli un semplice:

«Buonanotte, Spencer».

È sul vialetto, si volta.

«Ho parlato con Half giù al faro, mi ha detto che per domani è prevista bassa marea. Ho pensato che potrei accompagnarti a Saint Michael's Mount».

«E come farai con *Spring House*? È al completo!», gli chiedo.

«Tranquilla, ho già avvertito Rudy. Per lui non è un problema».

Lo guardo, un sorriso affiora sulle mie labbra.

«Passo a prenderti dopo colazione».

«Allora... grazie».

Sto per rientrare in casa quando Spencer esclama:

«Tanto perché tu lo sappia penso che, invece, Jenny abbia parecchio da invidiarti».

Entro in casa, mi sento su di giri e penso che questa sensazione non sia legata soltanto al vino.

Non posso fare a meno di ripensare a tutti gli istanti in cui le nostre labbra stavano per sfiorarsi: quel giorno in cui saltò la corrente, questo pomeriggio quando stavamo preparando le *pasties* in cucina e poi poco fa sul tetto di *Spring House*.

Chiudo gli occhi e, appoggiando la schiena alla porta, sospiro chiedendomi come sarebbe stato sentire il sapore della sua bocca sulla mia.

Peggy, Peggy, che stai dicendo? Non puoi sentirti attratta da lui, lo sai che devi tenerti alla larga da altri pasticci!

Quando avrai scritto il tuo libro tornerai a Londra alla tua solita vita mentre lui rimarrà qui. Una storia con Spencer non potrebbe far altro che spezzarti il cuore e tu non vuoi collezionare l'ennesima delusione d'amore.

Questo è quello che mi ripeto mettendomi il pigiama e scivolando nel morbido letto tra le mie trapunte leggere con Wolf che cerca di dormicchiare sul tappeto.

48. Spencer

Rientrato a *Spring House* mi soffermo in giardino per gustarmi questa strana calma: tutti gli ospiti sono nelle loro stanze, si sente solo il rumore delle onde di ritorno che si infrangono sulla spiaggia.

Amo questo luogo, è qui dove il mio cuore si sente realmente a casa, non potrei immaginarmi altrove.

Faccio per rientrare in casa quando d'impulso tiro fuori dalla tasca dei jeans il cellulare, vorrei chiamarla anche solo per sentire la sua voce assonnata e augurarle di nuovo buonanotte, ma poi invece decido di entrare in casa, probabilmente tutto questo è solo a causa del vino.

***

Sto percorrendo la solita strada che conduce a Porthcurno, è una tersa mattinata primaverile, il mare è calmo e sembra proprio che vi sia la bassa marea. Mi chiedo cosa sarà in grado di combinare Peggy sull'isola.

Fermo la macchina e facendo cigolare il cancello mi avvio per il solito vialetto.

Suono il campanello.

«Buongiorno! Iniziavo a pensare che fossi ancora a letto», esclamo appena Peggy apre la porta.

Mi guarda, ha raccolto i capelli in una coda di cavallo, porta dei jeans con una maglietta e delle simpatiche Converse di un rosa decisamente shocking.

«Sei in errore, dovevo soltanto prendere alcune cose», puntualizza.

Wolf, che è venuto a reclamare qualche carezza, ci guarda.

«Mi dispiace Wolf ma oggi devi restare a casa, non penso che dei cagnolini vivaci come te possano venire», gli dice grattandogli il musetto.

Chiude la porta e ci incamminiamo fianco a fianco.

«Sai, mi è appena venuto in mente un titolo accattivante per il tuo nuovo romanzo: Peggy Cennevan e i disastri sull'isola! Non ti sembra azzeccato? Sono certo che diventerebbe un best-seller!»

Si volta e, ridendo, mi dà un pugno sulla spalla.

«Ehi, ehi, non puoi mettermi le mani addosso!»

Poi, avvicinandomi al suo orecchio, aggiungo:

«Quantomeno non in questo modo... non per picchiarmi».

Noto il solito imbarazzo sulle sue guance.

«Mio caro signor Mac Dorner forse nei tuoi sogni...»

Rido aprendo la portiera della sua Mini.

«Meglio che tu non conosca i miei sogni Peggy, perché ti assicuro che lì saresti occupata a fare ben altro...»

Mi guarda.

«Direi di mettere da parte questa conversazione vietata ai minori e di fare invece qualcosa di più utile come raccontarmi qualcosa di quest'isola».

Mi volto e mi limito a ridere.

49. Peggy

Spencer porta dei jeans e una polo verde che si abbina ai suoi occhi, quando apre la portiera della mia Mini il mio sguardo cade sul suo sedere.

«Vuoi guidare tu?», mi domanda mostrando quel suo solito sorriso sghembo.

«No tranquillo, non saprei neppure la strada».

Mi auguro che non abbia notato dove, poco fa, era caduto il mio sguardo!

Si siede, accende la radio, e fa inversione.

Lo osservo, è strano vederlo guidare la mia auto. Canticchia una melodia che sta passando la radio poi posa distrattamente la mano sulla mia coscia.

Io gliela sposto.

Lui mi guarda appena e si mette a ridere.

«Stamattina i tuoi amici andavano in spiaggia, giornata incantevole a Porthcurno per fare surf», esclama. «Poco vento e onde lunghe... anche una tavola *long* andrebbe benissimo».

«Anche tu ami il mare e il surf, giusto?»

Si volta.

«Come potrei vivere in Cornovaglia e non amarlo? Appena posso prendo la tavola e scendo giù in spiaggia».

Poi, prosegue:

«E tu signorina Cennevan cosa ami oltre alla scrittura?»

Sposto lo sguardo sul suo viso, mi ritrovo così a osservare il suo profilo:

«Anch'io amo il mare e fare lunghe passeggiate sulla spiaggia, ma mi piace anche rilassarmi con un libro o un film.

Come potrai immaginare io non sono certo adatta al surf. Penso che non rimarrei in piedi su una tavola neppure un istante!»

Ride.

«Quello non faccio fatica a immaginarlo».

***

Ferma la macchina e ci incamminiamo. Mi soffermo a osservare i bus a due piani che nelle strette strade di Marazion sembrano quasi toccare i palazzi.

È una mattina limpida, nessuna nuvola all'orizzonte, le acque del mare sono cristalline e proprio come aveva detto Spencer oggi è bassa marea.

Arriviamo al molo dove sono ormeggiate piccole imbarcazioni che sono solite accompagnare i turisti all'isola.

Alcuni gabbiani si avvicinano timorosi sperando che qualcuno allunghi loro del cibo.

Scendiamo sulla spiaggetta e prendiamo il pittoresco vialetto che collega il piccolo paese di Marazion con Saint Michael's Mount.

«È davvero incantevole».

Lui si volta, i capelli sono mossi leggermente dal lieve vento di mare, mi guarda e sorride.

«Non puoi non innamorartene Peggy, quest'isola è incontaminata e con una rigogliosa vegetazione di piante perenni e fiori stagionali».

Accidenti, stamattina con i capelli scompigliati e un accenno di barba è incredibilmente sexy, penso.

Arriviamo al moletto dove vediamo l'attracco per le barche e il desk per acquistare il biglietto per poter entrare nella riserva naturale di Saint Michael's Mount.

Spencer insiste per pagare anche il mio pass di accesso.

Si volta, camminando all'indietro per potermi guardare in faccia, e sorridendo inizia a dire:

«Allora come tua guida per la giornata di oggi, vorrei illustrarti alcune particolarità di questa location».

Mi avvicino e ridendo gli sfioro distrattamente la mano.

«Sono tutta orecchie», gli rispondo io di rimando.

«Innanzitutto questa, come già saprai, è un'isola tidale che, durante la bassa marea, è collegata a Marazion. Avrai notato la somiglianza con Mont Saint-Michel in Normandia, queste località sono storicamente collegate, difatti nell'XI secolo l'isola della Cornovaglia venne donata da re Edoardo all'ordine monastico dell'isola francese».

Lo ascolto affascinata.

Dal porticciolo si giunge poi nel piccolo villaggio in pietra che dà su un giardino che si affaccia direttamente sul mare.

«Come puoi vedere in questi giardini crescono anche alcune piante tipiche dei climi subtropicali proprio per il particolare microclima regalato dalla corrente del golfo e per la conformazione rocciosa dell'isola».

«Accidenti non immaginavo proprio che si potessero vedere anche queste piante», mi meraviglio soffermandomi a osservare un'agave.

Da qui si inerpica un sentiero, fatto a terrazzamenti, piuttosto ripido che, tra piante rigogliose di ortensie dai molteplici colori, porta sulla cima del promontorio.

Qua svetta maestoso il castello e la piccola chiesa.

Non posso fare a meno di rimanere incantata ad ammirare la costa lambita dalle acque che mano a mano si fanno turchesi.

Mi volto, Spencer si avvicina.

«Guarda, oggi si può riuscire a vedere fino a Porthcurno», sussurra al mio orecchio allungando il braccio oltre la mia spalla a indicare un'insenatura sulla costa. È alle mie spalle, tanto vicino che la mia schiena sfiora il suo petto.

Se mi voltassi adesso sono certa che le nostre labbra si sfiorerebbero.

Restiamo così per qualche istante poi sono io a spostarmi leggermente con la scusa di prendere lo smartphone dalla shopper per fare qualche foto.

«Che ne dici di entrare prima che arrivino i turisti?», mi propone lui.

L'edificio principale non mostra particolari arredi e sulle pareti svettano arazzi con lo stemma della famiglia proprietaria del castello.

Passiamo dalla libreria ricca di tomi e volumi dell'epoca, in cui potrei trascorrere parecchie ore, e dopo entriamo nella *Blue Drawing Room* dove possiamo ammirare ritratti di Gainsborough e Reynolds.

Si esce, poi, su un'ampia terrazza da cui ci soffermiamo a osservare l'intera costa.

«Allora che te ne pare?», mi domanda.

Sposto lo sguardo sul suo viso.

«Sembra quasi di tornare indietro, in un'altra epoca. Qua è tutto così tranquillo e rilassante, assai differente rispetto alla caotica Londra a cui sono abituata».

Poi, sorridendo, aggiungo:

«Potrei anche pensare di rimanere qua: il mare, questo microclima incantevole e poi questo giardino magico!»

Lui mi guarda, sento i suoi occhi indugiare qualche istante sul mio viso, sulle mie labbra.

«E il tuo fidanzato cosa direbbe?», mi chiede lui fissando i miei occhi.

Un po' in imbarazzo, esclamo:

«Immagino che non gradirebbe».

Torno a guardare il paesaggio, mi ero quasi scordata di aver detto di avere un ragazzo.

Spencer interrompe i miei pensieri:

«Io direi proprio di scendere al villaggio e di vedere cosa propone il menu del piccolo cafè».

«Concordo con te, questa passeggiata mi ha messo un certo appetito», gli confesso spostando alcuni capelli usciti dal fermaglio rosa intonato alle mie *Converse*.

Ripercorriamo il viale e ci inoltriamo tra gli edifici del villaggio.

Il cafè si affaccia proprio sul giardino a ovest del porto, è piccolo ma propone un menu piuttosto vario e ricco di piatti tipici.

Entrambi optiamo per quelle che qui nel Regno Unito vengono chiamate *Jacket Potatoes* ovvero delle grandi patate ripiene messe su di un foglio di alluminio e cotte poi al cartoccio.

Generalmente la ricetta classica, quella che ha preso Spencer, è col ripieno di Cheddar e pancetta croccante, io invece decido per una versione vegana fatta con tofu e verdure miste. Il tutto, accompagnato da una birra rossa.

«Sono davvero squisite, era da tempo che non mi gustavo delle *Jacket Potatoes*», dichiaro soddisfatta.

Spencer solleva lo sguardo dal piatto.

«Non ho dubbi che a te piacciano Peggy, ma non puoi paragonarle a queste», dice lui protendendo la sua forchetta colma di patata, Cheddar e pancetta verso le mie labbra.

«Dai provala», mi incalza lui.

«Allora? Vuoi dirmi che è la stessa cosa? È uguale al tuo tofu?», mi chiede osservandomi assaporare questa delizia.

«Beh, uguale no, devo ammetterlo... però anche la mia patata ripiena è appetitosa».

Continuiamo a mangiare tra una chiacchiera e una risata, lui prosegue a prendermi in giro come ormai fa sempre.

La mite giornata ha dato spazio a varie nubi grigiastre che giungono dall'oceano.

«Accidenti speriamo che non voglia piovere», affermo io guardando la coltre grigia sopra di noi.

«Strano, non erano previste perturbazioni ma a quanto pare non ci hanno azzeccato. Ti va una fetta di dolce? Poi direi di incamminarci al molo, non penso che potremo tornare a piedi».

«No, grazie solo un caffè se possibile di orzo».

Si alza ridendo per andare a ordinare. Dopo alcuni istanti torna col mio orzo e un caffè espresso.

«Sai, penso proprio che ormai, quando qualcuno a *Spring House* mi chiederà un orzo, non potrò che pensare a quella testarda scrittrice londinese di romanzi rosa che ha movimentato le mie giornate».

Lo guardo in imbarazzo, per qualche istante non diciamo niente, restiamo lì, a fissarci con il vento che ci accarezza il viso.

«Dai andiamo al porto, tutti i turisti si stanno incamminando, non vorrei dover aspettare per salire su una barca», ammette.

Siamo quasi al molo quando cerco nella shopper lo smartphone per poter fare l'ennesima foto ma accidenti, non lo trovo.

Mi soffermo.

«Che fai?»

Mi metto a rufolare ma del cellulare nessuna traccia. Poi ricordo di averlo posato sul muretto al castello.

Merda, merda e merda!

Guardo Spencer.

«Penso di aver scordato lo smartphone sul muro del castello!»

Spencer si avvicina.

«Cosa? Non puoi averlo dimenticato là! Anche correndo, cosa che non sarebbe semplice data la ripida scalinata, impiegheremmo parecchio tempo per tornare al molo!»

Sembra arrabbiato, io allora in collera esclamo:

«Allora sai che ti dico? Tu vattene al porto e prendi pure quel fottuto battello! Io andrò a riprendermi il cellulare».

Mi volto e senza aspettare che possa aggiungere altro, mi incammino a passo svelto su per il sentiero.

«È davvero sgarbato e villano! Secondo lui mi sono divertita a dimenticarlo lassù?», continuo a sbraitare cominciando a salire.

50. Spencer

Dovevo immaginare che anche qua sarebbe riuscita a combinare uno dei suoi soliti pasticci. Mi chiedo come si possa scordare un cellulare su di un muretto!

Si sente un tuono in lontananza, altre nubi grigie stanno arrivando da ovest, volto lo sguardo al sentiero che conduce al castello, non posso di certo andare al molo senza di lei.

Mi incammino, mi auguro solo di riuscire a tornare al porticciolo prima che si scateni il temporale.

Doveva proprio dimenticare qualcosa sulla vetta del promontorio? Mi chiedo dove abbia la testa! È cocciuta e testarda e vuole sempre avere ragione, mi domando come sia possibile sopportarla!, continuo a ripetermi.

A passo svelto arrivo al castello, ecco che la vedo, sta mettendo il suo smartphone nello zaino.

Mi avvicino, i gabbiani sorvolano l'isola continuando a stridere, questo preannuncia una sola cosa: da qui a qualche istante comincerà a piovere.

La sfioro, non deve avermi sentito.

Si volta di soprassalto.

«Cosa fai adesso? Hai deciso di seguirmi per continuare a farneticare cose prive di ogni senso? Oppure ti diverti semplicemente a farmi innervosire?», domanda lei quasi gridando.

Sentiamo l'ennesimo tuono e poi ecco che inizia a piovere.

«Adesso almeno la vorrai smettere di parlare? Su, muoviti, corriamo al porto!»

Mi fissa senza spostarsi.

«Non puoi comandarmi, non ho nessuna intenzione di scendere giù con te».

Un lampo illumina l'isola.

Mi avvicino ancora.

«Senti Peggy restare qua tra gli alberi mentre impazza un temporale non è prudente quindi o cominci a muovere quel tuo dolce culetto o sarò costretto a metterti sulla mia spalla e portarti in questo modo al molo».

«Non mi hai sentita: non ho intenzione di scendere al porto con te!», ripete.

Sbuffo, mi avvicino e senza che possa ribattere la prendo e la sollevo mettendola sulla mia spalla.

«Ti avevo avvisata, Peggy».

Scalciando come un cavallo imbizzarrito continua a delirare:

«Mettimi giù, mettimi giù o comincio a gridare!»

Senza ascoltarla, di rimando, le dico:

«Urla pure quanto vuoi, non penso che ai gabbiani interessino le tue grida!»

Continuo a scendere facendo attenzione a non scivolare.

«Guarda che posso venire tranquillamente a piedi».

Mi fermo un istante.

«Adesso si inizia a ragionare».

Le prendo la mano e con cautela riprendiamo a scendere. La pioggia adesso si fa più intensa, sopra di noi solo una coltre di nubi grigie dove si alternano lampi e tuoni.

Quando riusciamo a giungere al villaggio siamo completamente zuppi, corriamo al porto ma, accidenti, le piccole imbarcazioni devono aver già ricondotto i turisti a Marazion. Ovviamente adesso è anche alta marea quindi non potremo neppure andare a piedi.

Mi volto e trovando i suoi occhi la informo:

«Ti avviso che siamo ufficialmente bloccati sull'isola!»

51. Peggy

Provo a respirare ricorrendo alle tecniche di rilassamento imparate al corso di yoga online.

Guardo Spencer quasi sull'orlo di una crisi di panico.

«Siamo bloccati qua? Su quest'isola?», ripeto io passandomi le mani sul viso.

Lui mi prende ancora per mano e mi trascina sotto la tettoia del piccolo negozietto di souvenir e pass di accesso alla riserva di Saint Michael's Mount.

«Direi che la risposta sia piuttosto ovvia Peggy, nessuno ci potrà riportare stasera a Marazion. Come puoi tu stessa vedere i cellulari non prendono la linea quindi direi di tornare al villaggio e di vedere se riusciamo a scovare una stanza dove poterci riparare dal temporale».

«Mi gira la testa, ma probabilmente è tutto riconducibile allo stress e al nervoso», dichiaro sorreggendomi a lui.

Spencer mi guarda.

«Peggy, per favore, non vorrai fare come le dame dell'Ottocento che svenivano di continuo! Guarda che io non ho dei sali da farti odorare e non ho neppure intenzione di portarti in braccio per tutta l'isola».

Lo guardo, la rabbia di poco fa è ormai alle spalle poi, sempre tenendoci per mano, facciamo una corsa fino al villaggio. Ovviamente sia il piccolo cafè che il negozio di saponi fatti a mano sono chiusi.

Continuo a fare lunghi e profondi respiri.

Spencer mi guarda.

«Peggy, sembra quasi di essere a un corso preparto dove insegnano le varie tecniche di respirazione!»

«Vorrei proprio sapere cosa ne sai tu di corsi preparto!»

Sorride.

«Ovviamente nulla, ma è ciò che si vede fare sempre alla tivù... piuttosto là in fondo mi pare di vedere la porta del museo socchiusa».

Ci avviciniamo.

Spencer ha visto correttamente: la porta, spingendola appena, si apre.

Con mia grande gioia entriamo.

Nel museo è riprodotto un modellino in scala dell'isola: il castello con le sue stanze, la chiesetta e il giardino.

Da questa stanza si passa in un'altra dove vengono mostrate pitture delle varie piante che crescono con questo microclima tropicale e la relativa storia.

Guardo il camino d'epoca e, stringendomi nei miei panni zuppi, sbuffando ammetto:

«Quanto mi piacerebbe poterlo accendere e scaldarci almeno un po'».

Spencer si avvicina e dà un'occhiata al suo interno.

«Sembra che la canna fumaria per il tiraggio sia ancora buona, se avessimo della legna potrei accontentarti».

Poi aggiunge:

«Un istante che vado a vedere se qua fuori riesco a trovare una legnaia».

Vedo Spencer allontanarsi.

Mi guardo attorno, vi è un vecchio armadietto. Mi avvicino e lo apro sperando di trovare qualcosa che ci possa essere utile.

Soddisfatta prendo alcuni cuscini e una sorta di coperta patchwork e li dispongo davanti al camino sperando che Spencer riesca a racimolare della legna da ardere.

Dopo alcuni istanti lo vedo tornare con alcuni ceppi.

Batto le mani entusiasta:

«Non puoi capire quanto sia contenta di vederti con quella legna! Su, dai, accendiamo il fuoco. Io intanto ho trovato in quel vecchio mobiletto questi cuscini e una coperta».

Spencer si avvicina e appoggia i ceppi sul pavimento.

«Hai un accendino?», chiedo io quasi sull'orlo di una nuova crisi di panico.

Lui mi guarda.

«Ovviamente, non fumando, non ne ho uno ma tranquilla, conosco altri modi per accendere il fuoco. Fuori ho trovato ciò che useremo».

Prende dalla tasca dei jeans dell'erba, della corteccia, una pila e una spugnetta in acciaio per lavare le pentole. Lo guardo perplessa.

«Tranquilla, dammi qualche istante...», dice iniziando a strofinare la spugnetta sulla pila.

Vedo una piccola scintilla, Spencer comincia a soffiarci poi posa la spugnetta sulla corteggia proseguendo a soffiare. Poi, aggiunge alcuni ceppi.

Pian piano inizia a prendere fuoco: il camino è acceso.

Entusiasta, esclamo:

«Sei stato magnifico. Io non avrei saputo da dove cominciare».

«Grazie del complimento, dovrei annotarmelo, generalmente mi rivolgi solo insulti».

Si toglie le scarpe poi prende una sedia e la avvicina al caminetto.

Cosa cavolo ha intenzione di fare?

Si sfila il maglione ormai completamente zuppo poi passa alla T-shirt restando con addosso soltanto i jeans.

I miei occhi sembrano non volersi spostare dai muscoli tesi del suo addome che, scendendo, sembrano disegnare una V che si sospinge sotto ai suoi pantaloni.

A ogni suo movimento, i muscoli della schiena e gli addominali, disegnati ad arte, si tendono.

Si siede sul cuscino proprio davanti al camino, si volta e mi guarda.

Cavolo, l'immagine di Spencer mezzo nudo con ancora i capelli umidi e quell'accenno di barba di qualche giorno, che lo rende assurdamente sexy, dovrebbe essere "illegale" in tutto il paese, che dico, anche oltreoceano.

Accidenti Spencer non guardarmi in questo modo, non farlo, non adesso, non stasera.

Mi sembra di essere una calamita che viene attirata da lui.

«Dovresti toglierti quella maglia e metterla con i miei vestiti ad asciugare», mi propone mantenendo lo sguardo fisso sul mio viso.

Non dico niente e mi limito a fare quanto mi ha appena suggerito. Mi tolgo le *Converse*, il maglione in cotone e, con un po' di imbarazzo, anche la maglietta. Sistemo i miei abiti sulla sedia davanti al camino insieme a quelli di Spencer e mi siedo davanti ai ceppi che ardono.

Nessuno emette alcun suono, si sente solo il rumore della pioggia e il vento che fa sbattere qualche imposta e, di tanto in tanto, qualche tuono.

Mi porge una coperta, io senza dire niente me la metto sulle spalle, la lana infeltrita mi solletica la schiena.

Mi volto, il suo profilo è rischiarato soltanto dal caminetto, si sente lo scoppiettare dei ceppi misto al temporale.

Mi alzo e mi avvicino alla finestra.

«Peggy lo sai che è strano non sentirti parlare come un macinino?», mi canzona.

«Sono solo un po' nervosa, siamo bloccati su quest'isola e imperversa un temporale. Questa sarà una lunga notte».

Spencer è alle mie spalle.

«Lo penso pure io», mi sussurra.

Nervosa vado a sedermi sul cuscino davanti al caminetto.

Guardo i ceppi scoppiettare, socchiudo gli occhi e mi faccio cullare dal dolce e rilassante rumore della legna che arde e della pioggia.

«Potresti utilizzare questa strana serata per prendere qualche spunto per uno dei tuoi libri... senz'altro restare bloccati su di un'isola della Cornovaglia non è una cosa abituale».

Mi volto, Spencer mi guarda indugiando qualche istante sulle mie labbra.

«E cosa dovrei scrivere?», provo a chiedere.

Si avvicina annullando quasi lo spazio tra noi poi mi sfiora con le punte delle dita la guancia.

«Sei tu la scrittrice! Anche se immagino che se questo fosse uno dei tuoi romanzi adesso ti dovrei baciare...»

I nostri occhi sono gli uni in quelli dell'altra, il cuore impazzisce, una scossa mi percorre la schiena.

52. Spencer

La fisso, non riesco a spostare lo sguardo dai suoi occhi e da quelle labbra che sembrano solo reclamare un bacio.

Sono attratto da lei, mi sembra quasi di impazzire.

Vorrei baciarla, sentire la sua pelle sotto alle mie mani.

Mi avvicino.

«Che mi stai facendo, Peggy?», le sussurro praticamente sulle sue labbra.

Lei mi guarda, si sposta subito iniziando a camminare avanti e indietro.

La guardo.

«E adesso che vuoi combinare?», le chiedo.

«Niente, non voglio fare nulla Spencer, voglio solo che smetta di piovere, che qualcuno ci venga a prendere e ci riporti a Marazion».

La trattengo per la spalla.

«Perché non vuoi ascoltare ciò che provi? Cos'è che ti spaventa tanto? Io? Tu? O forse, l'essere qua da sola con me in questa stanza?», le domando mantenendo fisso lo sguardo nei suoi occhi in cui adesso è semplice perdersi.

Fanculo la paura di poter soffrire ancora, quella stessa paura che per tutto questo tempo mi ha precluso la voglia di innamorarmi ancora; nell'istante in cui decido di abbattere quel muro che mi sono eretto attorno prendo la sua mano e la porto sul mio viso.

«Smetti di pensare e per stanotte, Peggy, segui soltanto il tuo cuore...»

Mi avvicino ancora, apro lentamente i lembi della trapunta che ha ancora sulle spalle e la lascio cadere sul pavimento.

Il suo respiro si fa più intenso e, mantenendo i suoi occhi fissi nei miei, sussurra:

«Spencer, questo sarebbe solo un errore».

Annullo lo spazio tra noi e, quasi sulla sua bocca, le dico:

«Non lo sarebbe affatto e poi mi è sempre piaciuto commettere errori...»

Le accarezzo la guancia poi, delicatamente, la mia mano scende lenta giù fino alla clavicola mentre con l'altra le sfioro la pelle nuda della schiena.

Mi perdo nei suoi occhi e la bacio.

53. Peggy

Ci stiamo baciando, è un bacio dolce, lento, come se potesse durare per sempre, un bacio che non ha fretta, un bacio che profuma d'amore.

Sento le sue mani che si muovono sulla pelle nuda della mia schiena, che salgono lente e si intrufolano tra i miei capelli scompigliati dal vento e umidi per il temporale.

I suoi muscoli sono tesi sotto alle mie dita poi si sposta appena per potermi guardare negli occhi.

«Ti voglio Peggy, ti voglio da sempre», mi sussurra sollevandomi senza mai staccare la bocca dalla mia.

Stringo le cosce attorno ai suoi fianchi e riprendiamo a baciarci con passione.

Mi sospinge sui cuscini davanti al fuoco, si sofferma un istante a guardarmi prima di protendersi su di me.

Avverto il suo respiro sul mio viso, le sue labbra sulle mie, le nostre mani che si muovono lente, a ogni suo tocco avverto l'irrefrenabile impulso di andare oltre.

Sento le sue dita che stanno aprendo la zip dei miei jeans, una scossa mi percorre la schiena, io sollevo appena il bacino per aiutarlo a sfilarmeli.

La sua bocca scende giù lungo la clavicola per poi fermarsi sul pizzo del reggiseno, con una mano abbassa le spalline e con l'altra apre i gancetti sulla mia schiena.

«Sei splendida...», bisbiglia.

Le mie mani salgono e scendono sulla sua schiena, lungo le spalle tese poi mi porta su di sé... io goffamente riesco a togliergli i pantaloni. Proseguiamo a baciarci con passione, non desidero altro se non questo: la sua bocca, le sue mani che si muovono su di me, lui…

Sono di nuovo io a essere sdraiata tra i cuscini, in sottofondo solo lo scoppiettare dei ceppi che ardono nel caminetto e i nostri respiri, la sua mano scende lenta sul mio ventre per poi sospingersi sotto al pizzo delle mie mutandine, una nuova scossa mi percorre la schiena.

Ormai nessun indumento ci separa, Spencer con una mano continua ad accarezzarmi e con l'altra tiene le mie ferme oltre il cuscino, la sua bocca sembra non aver intenzione di smettere di baciarmi.

Sospingo il bacino verso di lui, mi guarda come a cercare conferma di ciò che sta facendo, gli sorrido e lo attiro su di me.

54. Spencer

Se mi avesse fermato sarei impazzito, accarezzo la sua pelle nuda continuando ad assaporare le sue labbra.

Mi soffermo un istante a guardare il suo viso, la desidero come non ricordo di aver forse mai desiderato nessun'altra.

Provo sensazioni che per troppo tempo avevo tentato di mettere da parte ma con lei, con Peggy, non posso riuscirci.

È come un fiume in piena che con la sua potenza è riuscito ad abbattere gli argini che a fatica avevo eretto in questi anni.

La stringo perdendomi completamente in lei.

***

È acciambellata tra i cuscini, in parte è coperta dalla trapunta, la sua coscia sopra la mia, la mia mano che continua ad accarezzarla.

Sta proseguendo a piovere, nel caminetto alcuni ceppi stanno ancora ardendo, ascolto il lento e regolare rumore della pioggia contro i vetri della finestra e i nostri respiri.

Non penso a nulla, siamo solamente noi e i nostri cuori che battono all'unisono.

Le sposto una ciocca di capelli dalla guancia.

«Sai, penso che tu in parte lo sappia già, è da quella sera a *Spring House* in cui ti ho dato quel bacio a stampo per farti stare zitta, che non desideravo altro che farlo davvero».

Mi protendo leggermente su di lei e rimaniamo ancora un po' a baciarci, lì davanti al fuoco.

Poi si volta, con il dito percorre il profilo del mio viso e, appoggiando le mani sul mio petto, ridendo esclama:

«Penso che stanotte abbiamo quantomeno trovato almeno un modo per non discutere e devo proprio ammettere che mi è sembrato piuttosto interessante...»

Mentre lo dice vedo affiorare un leggero rossore di imbarazzo sulle sue guance.

«Se quella che mi hai appena fatto è un'audace quanto disinibita proposta, non posso di certo tirarmi indietro! Mia cara signorina Cennevan immagino che dovremo proprio riprendere da dove eravamo rimasti!»

Sorride e con abilità io l'attiro sopra di me.

Tra un bacio e l'altro mi ritrovo a sussurrarle piano:

«Accidenti Peggy, penso proprio che potrei innamorarmi davvero di una scrittrice».

Lei mi guarda, poi sorridendo si limita a dire:

«Questo mi sembra ovvio».

55. Peggy

Probabilmente dobbiamo esserci addormentati, vengo svegliata da alcuni rumori che provengono dal vialetto.

«Spencer! Ehi Spencer, vuoi svegliarti?», dico picchiettandogli la spalla.

Lui si stiracchia come potrebbe fare Wolf, poi si volta e si avvicina posando la bocca sulla mia.

Lo allontano.

«Dai, adesso non possiamo, ho sentito dei rumori! Vuoi che entri qualcuno e che ci trovi così?», grido indicando i nostri vestiti sparpagliati sul pavimento.

«Beh, capirebbero che abbiamo trascorso una piacevole nottata, signorina Cennevan», puntualizza lui ridendo.

Mi alzo e mi infilo i jeans ancora umidi e la maglietta anche Spencer inizia a vestirsi anche se con parecchia calma.

«Dai, muoviti», lo riprendo io porgendogli la T-shirt.

Lui alza lo sguardo e con mossa quasi felina mi attira a sé.

«Non puoi capire come mi dispiaccia vederti con quei vestiti addosso, te li toglierei con piacere!», ammette mordicchiandosi il labbro.

Sentiamo la porta che si apre e vediamo entrare una signora che, non aspettandosi di trovarci qui, si mette a gridare.

«Signora, stia tranquilla», la rassicuro io sistemandomi la maglia.

Lei ci guarda perplessa.

«Tranquilla? Vorrei capire cosa ci fate voi qua!»

Spencer, subito, inizia a chiarire:

«Ci dispiace averla spaventata ma ieri, quando è cominciato il temporale, noi eravamo tornati al castello per cercare il cellulare che la mia sbadata fidanzata aveva scordato. Quando poi siamo giunti al molo, le imbarcazioni erano già tutte in mare dirette a Marazion quindi siamo tornati al villaggio per cercare un riparo. Tutto era chiuso tranne la porta del museo che era leggermente socchiusa».

Sfodera il suo sorriso sghembo.

«Quindi siamo entrati e ho acceso il caminetto per permettere ai vestiti della mia dolce metà, di asciugarsi. Poi, dobbiamo esserci addormentati».

La donna, che adesso non sembra poi così arrabbiata, guarda prima Spencer e poi me.

«Tienitelo stretta cara un uomo così, non se ne trovano».

Spencer si avvicina e mi dà un lieve bacio.

«È proprio ciò che le ripeto sempre», rimarca lui ridendo.

Ringraziamo la signora e ci incamminiamo al molo.

Anche stamattina è alta marea quindi non possiamo utilizzare il vialetto per tornare a Marazion. Il sole riscalda già le nostre guance e un leggero venticello mi scompiglia appena i capelli arruffati dalla notte "movimentata".

Spencer mi guarda.

«Accidenti Peggy, sei davvero splendida», mi dice poco prima di baciarmi.

Quando le sue labbra sfiorano le mie sento il cuore che impazzisce, e non vorrei fare altro che restare qua a baciarci.

Un uomo richiama la nostra attenzione.

«Giovani, mi dispiace disturbarvi, se dovete rientrare sulla costa, posso riportarvi io».

Ci avviciniamo alla piccola imbarcazione.

«Grazie, ci farebbe un favore se potesse condurci in paese», lo informa Spencer dandomi una mano a salire.

Ci sediamo, lui mi tiene stretta a sé, respiro il suo profumo misto a quello della salsedine e questo mi pare proprio l'unico posto in cui vorrei essere.

Penso di non essermi mai sentita così: leggera, appagata e contenta. Spencer è forse tutto ciò che ho sempre cercato e desiderato: un uomo che mi sappia far ridere, divertire, con cui sentirmi tranquilla e che mi sappia amare con tutti i miei difetti.

Beh, forse non si potrà ancora parlare di amore, ma per oggi non voglio pensare ad altro che a lui, ai suoi baci e a quel suo modo di guardarmi.

Mi volto, lo guardo e, sorridendo, poso le labbra sulle sue.

56.Spencer

Siamo in macchina, il temporale di stanotte sembra ormai solo un lontano ricordo, un leggero vento increspa il mare della piccola insenatura della baia di Porthcurno; io di tanto in tanto mi volto a guardarla e non posso fare a meno di pensare a quanto questa incantevole, e oltremodo cocciuta, scrittrice sia riuscita a scalfire la corazza che avevo eretto attorno al mio cuore.

Siamo arrivati al cottage, lei si volta a guardarmi:

«Vuoi entrare?»

Sarei tentato a farlo ma so già che mettere piede in quel delizioso appartamento mi rievocherebbe tanti ricordi.

«No, immagino che a *Spring House* Rudy si starà chiedendo dove mi sia cacciato».

Mi avvicino e prima che apra la porta poso la mia bocca sulla sua.

«Non combinare pasticci Peggy...»

Lei mi guarda e sorride.

«Ci proverò ma non posso di certo garantire nulla!»

Mi volto e mi incammino per il vialetto in ciottoli. Ho fatto di tutto per stare alla larga dai sentimenti ma, quando Cupido decide di scagliare la sua freccia, non puoi fare altro che aprire di nuovo il tuo cuore all'amore.

57. Peggy

È dalla nostra gita a *Saint Michael's Mount* che Spencer e io ci comportiamo proprio come una coppia.

Durante il giorno sono io che spesso mi reco, con Wolf e il mio portatile, a *Spring House* e mi siedo sul morbido dondolo a scrivere.

Spesso, tra un lavoretto e un nuovo ospite in arrivo, Spencer viene a darmi un fugace bacio.

Mentre scrivo mi ritrovo a guardarlo lavorare... lo osservo potare le piante o annaffiare le rose, riparare una persiana, o indirizzare i turisti in qualche angolo della Cornovaglia dove poter fare surf, tutto con uno stupido sorriso sulle labbra. Sì, penso che l'amore sia proprio questo, quell'assurda sensazione che riesce a farti apparire anche la giornata più grigia come una in cui il sole ti riscalda il viso e un leggero vento ti scompiglia i capelli.

Quando c'è un po' di calma, cosa piuttosto rara con l'inizio della stagione delle vacanze, Spencer e io ci chiudiamo nella sua stanza o ci rifugiamo sul tetto per baciarci e poter fare l'amore. Era da tempo che non mi sentivo tanto contenta.

La sera mi chiede spesso di non andare al cottage e di restare a dormire qua, tra le sue braccia. Ormai anche Wolf sembra essersi abituato a questo nuovo trantran e penso che inizi pure a piacergli. Cammina scodinzolando e impettito per il giardino sentendosi un po' il padrone di *Spring House*, tant'è che Spencer lo ha addirittura rinominato: Principe Wolf.

È una serata tiepida, la luna rischiara i nostri visi, i turisti sono tutti nelle loro stanze e noi due siamo sul tetto abbracciati, stretti nella coperta.

Mi accarezza il viso.

«Era da tempo che non provavo tutto questo, hai catturato ogni mio senso, signorina Cennavan», mi sussurra posando la sua bocca sulla mia.

Quando si sposta mi soffermo a osservarlo poi poggio le mani sulle sue spalle e, con un po' di imbarazzo, dico:

«Spencer, sai, ti ho mentito. Non sono fidanzata, è da un po' che non ho una storia...»

Inizia ad accarezzarmi la schiena.

«L'ho sempre saputo, immaginavo che tu me l'avessi detto solo per zittirmi. Non sei quel tipo di donna».

Poi si avvicina e quasi sulle mie labbra mi sussurra piano:

«Sai, dopo la separazione da Thea mi ero ripromesso di non volermi più innamorare, per diverso tempo è come se avessi messo in pausa il mio cuore ma poi mi sono imbattuto in una testarda, quanto irriverente, scrittrice londinese che mi ha fatto perdere la testa...»

Annulla lo spazio tra noi e praticamente sulle mie labbra mi sussurra piano:

«Ti amo, signorina Cennevan...»

Lo guardo, non so se l'ho immaginato o se invece ha appena detto di amarmi.

Con il cuore che sta facendo una capriola lo attiro su di me e lo bacio.

I nostri occhi sono gli uni in quelli dell'altra, gli accarezzo la lieve barba appena accennata che lo rende tanto sexy e perdendomi in quegli occhi verdi confermo:

«Ti amo, Spencer».

Lui sorride.

«Sono contento che tu l'abbia capito dolce signorina Cennevan».

Mi dà un altro lieve bacio, disegna con il dito il mio profilo scendendo giù fino alla spalla.

«Ti amo da impazzire, Peggy», mi ripete.

Assaporo queste parole magiche e riprendiamo a baciarci rischiarati dalla luna e con il rumore delle onde che si infrangono sulla spiaggia a farci da colonna sonora.

Lui, io, i nostri cuori, il nostro amore.

***

Stasera Spencer e io siamo invitati a cena a casa dei suoi, io sono emozionata e nervosa allo stesso tempo, per scegliere cosa indossare ho rovesciato quasi l'intero armadio sul letto per poi optare per un classico abitino a fiori in lino e seta, comprato qualche anno addietro a Portobello, e un sandalo con la zeppa.

Siamo in macchina, passiamo per una serie di stradine immerse nel verde, di tanto in tanto mi volto a guardare Spencer che stasera, con un outfit diverso rispetto ai soliti jeans a cui sono solita vederlo, è ancora più affascinante e sexy nel suo completo pantalone e camicia. La strada inizia a salire lievemente, prendiamo poi un vialetto in ciottoli e arriviamo quasi sul promontorio da cui si vede tutta la costa.

Qui, c'è un piccolo cottage, ricorda quello di Anne Hathaway a Stratford-upon-Avon, è imbiancato a calce e si apre su di un giardino pieno di piante colorate.

Scendiamo, si sente l'odore delle piante: delle rose, delle peonie e delle magnolie misto a quello dei gelsomini e ciclamini.

Il cottage dev'essere stato rimodernato di recente.

Spencer mi prende la mano e, indugiando un istante con lo sguardo sulla mia scollatura, esclama sorridendo:

«Dai, entriamo, sono certo che mia mamma abbia cucinato tanto da sfamare tutta la regione».

Passiamo per il giardino, non abbiamo ancora suonato che la porta si apre.

«Oh, vi stavamo aspettando», esclama la mamma di Spencer dando un bacio al figlio e stringendo poi me in un abbraccio.

«Tu, Peggy cara, sei davvero incantevole. Venite, il papà sta sistemando la tavola in terrazza».

Il cottage è arredato con gusto, tutto sui toni del rosa cipria e dell'azzurro, sembra proprio una casa di mare.

Dal salotto si esce in terrazza, il padre di Spencer è intento a preparare un aperitivo. Subito, abbraccia Spencer.

«Tessa, da quando vi ha visto insieme a *Spring House*, non ha fatto altro che parlare della deliziosa ragazza di nostro figlio», dice stringendomi la mano e dandomi un bacio sulla guancia.

La madre di Spencer arriva con alcune tartine.

«Trevor, su, riempi i bicchieri».

Il padre di Spencer ci porge i calici.

«A voi, ragazzi, e che questo amore ci porti tanti bei nipotini!», esclama Tessa sorridendo.

Mi sento arrossire, sono in imbarazzo.

«Mamma dai, mi sembra che tu stia un po' correndo», risponde Spencer rivolgendomi un'occhiata divertita.

Tessa, riempiendomi il piatto di crostini e *finger food,* mi dice:

«Sai, noi mamme speriamo sempre di vedere i nostri figli felici e magari pure con dei bei pargoletti».

Poi, aggiunge:

«Ho comprato tutti i tuoi libri, ne ho già letti alcuni e devo proprio ammettere che mi stanno piacendo, sono divertenti e romantici al contempo».

«Mi fa piacere. Spero sempre, quando scrivo, di riuscire a soddisfare il lettore che mi ha dato fiducia acquistando il mio romanzo».

Ci sediamo al tavolo, la madre di Spencer ha cucinato dei piatti squisiti: cannelloni alle verdure di stagione, sufflè di patate, speck, Cheddar con pistacchi di Bronte e tacchino ripieno di verdure. Ho capito da chi Spencer abbia imparato a cucinare.

Parliamo della Cornovaglia, di *Spring House,* del mio particolare e inconsueto lavoro e di questo cottage che Spencer e il padre hanno rimodernato insieme lo scorso inverno.

Di tanto in tanto Spencer mi prende la mano e la accarezza dolcemente.

La madre di Spencer ha preparato, poi, una torta al cioccolato decorata con melone, cocomero e ananas: una delizia.

Rimaniamo un po' a parlare con loro, gustandoci questa tiepida serata di primavera. Mi alzo per dare una mano a Tessa con i piatti, la seguo nell'ampia cucina.

«Era tutto squisito!», dichiaro io mettendo i piatti nella lavastoviglie.

«Beh, diciamo che cucinare mi piace e come tutte le cose che si amano si fanno con passione».

Poi, mi dice:

«Sai Peggy, era da tanto che non vedevo Spencer così entusiasta. Anche se non lo ha mai ammesso, ha sofferto tanto per il suo matrimonio quindi Peggy, da mamma, sono in debito con te, sei riuscita a ridargli il sorriso».

La guardo, negli occhi ha la stessa intensità di Spencer.

Senza pensare, esclamo:

«Spencer per me è stato un regalo, è lui che mi ha regalato il sorriso».

Tessa non dice niente, mi sorride riponendo alcune cose nei pensili.

La serata trascorre piacevolmente, i suoi genitori sono simpatici e davvero cortesi, mi trattano proprio come se fossi una di famiglia, come se mi conoscessero da sempre.

Tessa ha insistito per regalarmi la pianta di peonie che mi era piaciuta molto nella loro terrazza e ovviamente mi ha detto di andare da loro quando voglio.

«Allora ragazzi, grazie per la serata», ci saluta il padre di Spencer sulla porta.

«E passate quando volete», aggiunge sua mamma soddisfatta.

«Grazie Tessa, la cena era davvero squisita. Buonanotte», dico.

«Buonanotte ragazzi», esclamano Tessa e Trevor guardandoci incamminare per il vialetto del giardino.

Entriamo in macchina, Spencer si avvicina posando le sue labbra sulle mie.

È un bacio lento che si fa poi carico di passione.

Quando si stacca dalla mia bocca, mi osserva per qualche istante, poi accende la radio.

«Posso dormire da te, stanotte?»

Lo guardo perplessa, da quando stiamo insieme sono sempre stata io ad andare a *Spring House*, anche se non ne parliamo so che il cottage gli ricorda il suo matrimonio con Thea.

«Certo, anche Wolf ne sarà contento», mi limito a dire.

Per tutto il tragitto non parliamo, ascolto distrattamente la radio.

Quando ferma il pick-up, cerco le chiavi nella shopper e ci incamminiamo per il piccolo giardino.

Siamo sul patio, si è alzato un leggero vento.

«Guarda che possiamo sempre decidere di andare anche adesso a *Spring House*», provo a dirgli.

Lui allunga la mano sfiorandomi la guancia.

«No, voglio stare qua, da te».

58. Spencer

Siamo sul portico, Peggy sembra stranamente nervosa dopo la mia proposta.

Questo cottage per troppo tempo non ha fatto altro che ricordarmi Thea e quello che è stato del nostro matrimonio, adesso invece è giunto il momento di spazzare via quei ricordi, voglio che ogni stanza parli di noi, delle sensazioni che proviamo.

Apre la porta e subito si toglie i tacchi. Wolf, sentendosi il padrone di casa viene, fiero, a vedere cosa ha infastidito il suo sonnellino.

Ci chiniamo ad accarezzarlo.

I miei occhi si posano di nuovo sul suo viso e, avvicinandomi, la trattengo per i fianchi.

«Peggy, voglio tornare ad amare questo cottage, voglio che ogni angolo parli soltanto di noi e nient'altro».

La mia mano scende giù lenta sul suo abitino leggero, al mio tocco socchiude gli occhi, la sollevo e, dandole un bacio sull'incavo della spalla, mi incammino su per le scale.

Sotto al mio peso sento scricchiolare la solita asse del parquet, un sorriso lieve spunta sulle mie labbra, poi entro nella stanza di Peggy e la sospingo piano sul letto.

La finestra è aperta, si sente soltanto il rumore del mare misto ai nostri respiri poi mi protendo su di lei e prima di posare la bocca sulla sua, mi limito a sussurrarle piano:

«Ti amo».

Lei mi guarda, sento le sue mani che lentamente si muovono sulla camicia sospingendosi sui miei addominali e come risposta mi attira su di sé.

Lentamente mi sbottona la camicia, io con abilità le sfilo il vestito lasciandolo cadere sul tappeto. Cavolo, quanto la desidero!

Il vento che entra dalla finestra ancora aperta ci accarezza facendo sbattere la persiana.

Tra un bacio e l'altro mi dice:

«Forse dovremmo chiuderla prima che si rompa».

Sulla sua bocca le rispondo:

«La persiana può attendere, il nostro amore no».

***

Ovviamente nessuno dei due si è alzato per chiudere le imposte, abbiamo dormito, si fa per dire, tutta la notte con la finestra aperta.

Peggy, col viso appoggiato sulla mia spalla, disegna col dito dei cerchi sul mio addome.

«Erano anni, parecchi anni, che non dormivo in questa stanza».

Faccio una piccola pausa e poi sorridendo aggiungo:

«Signorina Cennevan, devo farti i miei complimenti, sei riuscita a farmi riamare questo cottage... penso che verrò spesso a dormire qua con te».

Si sposta appena per guardarmi negli occhi.

«Per ringraziarmi allora scendi tu a preparare la colazione».

Mi allungo su di lei sussurrandole piano:

«Non prima, però, di aver fatto ancora l'amore con te!»

Mi guarda, sembra riflettere, poi ridendo esclama:

«Beh, penso di poterti accontentare».

59. Peggy

Guardo sorridendo i pancake appena cotti, Spencer si muove canticchiando nella mia cucina vestito solamente con dei jeans.

Questa potrebbe tranquillamente essere la classica immagine che ricorre nei miei romanzi: lui affascinante che prepara la colazione e lei sorridente e innamorata che lo osserva dallo sgabello della penisola con addosso la sua camicia.

«Allora, ti piacciono?», mi chiede porgendomi la cioccolata e anche lo sciroppo d'acero.

Spalmo un po' di cacao sul mio pancake e lo assaggio.

«Accidenti, è squisito! Sappi che potrei anche abituarmi alle tue colazioni», lo informo continuando a mangiare.

«E io penso proprio che, invece, potrei abituarmi a svegliarmi con te». Si avvicina e mi bacia.

Assaporo le sue labbra che cercano le mie, mi sento contenta e appagata come non lo ero da tempo e soprattutto so di essere innamorata, sì, lo amo.

«Io adesso devo andare, immagino che Rudy mi stia cercando. Tu che fai, vieni con me? Alcuni ospiti stamattina andranno a fare una gita a Truro e Tintagel quindi non rientreranno fino a sera», afferma scrutandomi con quel suo sguardo sensuale.

«È una proposta allettante, vado a mettermi qualcosa e prendo il portatile», ribatto io togliendomi la sua camicia e lanciandogliela restando solo con gli slip.

Spencer mi guarda.

«Vuoi farmi impazzire?»

Ridendo, gli rispondo:

«Mi piace stuzzicarti, signor Mac Dorner».

Salgo le scale e indosso dei jeans, una maglietta e ovviamente prendo il portatile con l'idea di lavorare un po' al mio romanzo.

«Possiamo uscire», dico mettendo il PC nella shopper e prendendo il guinzaglio di Wolf.

Si sente l'odore delle rose canine e delle ortensie, Wolf scodinzola soddisfatto e con un salto entra nella mia macchina.

«Non vieni con me?», mi chiede.

«No, nel pomeriggio vorrei passare in paese per fare un po' di shopping. Prendo la mia Mini, ormai la strada per *Spring House* la conosco a memoria».

Spencer si avvicina e mi dà un bacio.

Seguo il suo pick-up, passiamo per la strada immersa nel verde poi imbocchiamo il vialetto in ciottoli che conduce al B&B.

Non ci sono auto in giardino, solamente un'Audi sportiva che non ricordavo.

Scendo dalla macchina con la mia shopper, Wolf corre nel giardino, mi avvicino a Spencer.

Sul portico, a parlare con Rudy, una ragazza: avrà la mia stessa età, capelli biondi alle spalle, abbronzata, indossa una gonna con una camicetta e scarpe in vernice dal tacco piuttosto alto. È vestita di tutto punto, potrebbe essere uscita dalle vetrine dei costosi negozi di Old Bond Street.

Quando ci vede, sorride e come se ci conoscesse si avvicina ancheggiando.

Spencer si volta, è pallido.

«Mi dispiace Peggy, non immaginavo proprio che potesse venire qua».

Non capisco, il mio sguardo va da Spencer a lei.

60. Spencer

Che strano, non ricordavo che dovessero arrivare altri ospiti!, penso tra me osservando il costoso modello di Audi sportiva.

Poi sposto lo sguardo dall'auto e vedo uscire sul portico Rudy: sgrano gli occhi, è con lei, la donna che ha mandato in frantumi il mio cuore.

Thea mi guarda, ha lo stesso sorriso accattivante e il medesimo sguardo di allora, sembra che per lei il tempo si sia fermato.

Sculettando si avvicina.

Mi volto e, afferrando la mano di Peggy, mi limito soltanto a dirle:

«Mi dispiace Peggy, non immaginavo proprio che potesse venire qua».

Erano anni che non la vedevo, che non la sentivo neppure per gli auguri a Natale e invece eccola qua che, squadrandomi da capo a piedi, mi sorride.

«Buongiorno Spencer, qui tutto è rimasto proprio come lo ricordavo!»

Poi aggiunge:

«Anche tu...»

Sposta lo sguardo e, rivolgendosi a Peggy, esclama:

«Tu, invece, a quanto ho capito, devi essere la scrittrice che si porta a letto mio marito».

Senza darle il tempo di aggiungere altro intervengo:

«Non sono più tuo marito, non lo sono da tempo e tu non dovresti permetterti di parlare in questa maniera. Non capisco perché ti sia scomodata a venire qua. *Spring House* è al completo e, anche se non lo fosse, per te non avrei alcuna stanza».

Mantengo le mie dita intrecciate a quelle di Peggy.

«Per favore Thea, vattene...», mi limito a dire.

Sfoderando uno dei suoi tanti sorrisi, posa lo sguardo su Peggy e soddisfatta puntualizza:

«Mi dispiace Spency, ma tu e io tecnicamente siamo ancora sposati».

Poi, prosegue:

«Mi ha contattato il mio legale. A quanto pare c'è stato un errore: nessuno aveva notato che avevamo scordato una firma quindi il nostro divorzio non esiste, tu e io non abbiamo mai divorziato. Volevo telefonarti ma poi invece ho pensato di venire io qua».

Fa una pausa in cui si sistema la camicetta.

«Adesso scusaci ma vorrei parlare con mio marito, in privato... dovresti farci il favore di concederci un po' di privacy», esclama guardando Peggy.

«No, Peggy resta qua, adesso non ho tempo per discutere».

«Nessun problema, passerò dopo. È stato un piacere fare la tua conoscenza, Peggy. Ci vediamo Spency».

Si volta e, ancheggiando, sale sulla sua Audi costosa poi, facendo stridere le gomme sul vialetto, esce dal giardino di *Spring House*.

Mi volto.

«Peggy, non sapevo nulla di tutta questa storia credimi, non immaginavo di essere ancora sposato con quella vipera».

Le sollevo il viso per guardarla con attenzioni negli occhi ma prima che io possa aggiungere altro la sento dire:

«Scusami ma devo tornare al cottage, ho scordato in cucina alcuni appunti e, come sai, devo lavorare un po' al mio romanzo... il mio editore vorrebbe già avere il manoscritto sulla sua scrivania».

Le accarezzo la guancia, so che questo è solo un pretesto.

«Per favore, fidati di me, di quello che provo... io ti amo e il mio matrimonio è finito da tempo. Devo solo aggiungere una firma, tutto qua. Non mi interessa nulla di Thea, lo sai».

Per un istante restiamo lì, un leggero vento di mare ci scompiglia i capelli. Alcuni ospiti stanno rientrando dalla loro gita a Tintagel dove avranno ascoltato affascinanti leggende su Re Artù e mago Merlino.

«Io adesso devo andare...»

La trattengo posando la bocca sulla sua.

La guardo incamminarsi per il vialetto senza voltarsi.

61. Peggy

Mi sento lo stomaco su di giri, quella donna è Thea, la ragazza di cui Spencer era tanto innamorato, non riusciva neppure a entrare nel cottage perché ogni angolo gli ricordava lei e il loro matrimonio, quella stessa donna che senza pensarci un istante ha mandato in frantumi il suo cuore.

Sto guidando, ripercorro la solita strada immersa nella folta vegetazione che porta a Porthcurno.

Cavolo, mi sembra quasi di essere tornata piccola e che lei sia la strega cattiva che popolava le mie storie.

Ovviamente la scusa degli appunti era solo una balla.

A casa provo a lavorare ma non faccio altro che ripensare a Thea e alle sue parole.

Prendo Wolf e decido di scendere in spiaggia a fare una passeggiata. Sono giunte parecchie nubi e potrebbe piovere, vedo solo qualche ragazzo che corre con il suo cane e una ragazza che legge un libro mentre le sue bambine giocano costruendo castelli con la sabbia.

Continuo a pensare a Spencer, a Thea e al loro matrimonio che è ancora valido. Lui sostiene di essersi innamorato di me, di amarmi e io gli credo; ma qualcosa mi suggerisce che se lei adesso è qui è perché rivuole suo marito e questo potrebbe ribaltare tutto.

Sento dei tuoni in lontananza, sì, penso proprio che stia arrivando un temporale.

Wolf si sofferma a guardarmi continuando a stringere in bocca un legnetto trovato sul bagnasciuga.

«Ho capito sei stanco, dai torniamo a casa», gli dico chinandomi ad accarezzargli il musetto.

Riusciamo a entrare nel cottage prima che inizi a piovere. Vado in cucina e metto l'acqua a scaldare per prepararmi un thè.

Prendo il portatile e inizio a lavorare. Da quando sono qua ho scritto quasi tutto il romanzo, forse sono state queste spiagge e questi paesaggi magici a darmi una mano con il mio lavoro o forse è stato semplicemente Spencer e tutte le emozioni che mi ha fatto provare.

Sta piovendo, sento il rumore della pioggia sul vetro della finestra.

Wolf si è acciambellato sul cuscino del divano, provo a scrivere ma poi decido che devo vedere Spencer. Voglio dirgli che lo amo, che non mi interessa niente di quello che è stato il suo matrimonio e che mi fido di lui, di quello che prova. Voglio posare le mie labbra sulle sue, perdermi nei suoi baci e sentirlo mio.

Prendo le chiavi della Mini.

Piove, ripercorro la strada immersa nel verde e prendo poi il vialetto che porta a *Spring House*.

Alcuni ospiti non devono ancora essere rientrati, vedo l'Audi sportiva di Thea.

Accidenti, dev'essere tornata per parlare con Spencer... mi auguro che abbiano già firmato le carte per il loro divorzio e che lei se ne stia tornando a casa sua, lontana da Porthcurno, da *Spring House*, da Spencer, da noi.

Scendo dalla macchina e corro sul portico.

Entro ma non vedo nessuno, nessun rumore. Provo a vedere in salotto, in cucina e in veranda.

Salgo le scale, la solita asse del parquet scricchiola, sento poi un rumore, probabilmente quello di una sedia che cade. Si sentono delle voci che parlano in modo concitato anche se non riesco a distinguere ciò che si stanno dicendo, mi avvicino ritrovandomi sulla porta della stanza di Spencer. Nessuno parla adesso, la porta è socchiusa, provo ad aprirla piano.

Non posso credere a ciò che mi ritrovo a guardare: Spencer non può vedermi è di spalle davanti alla finestra e sta baciando Thea.

Non so se lei si sia accorta di me, lentamente mi volto e, facendo attenzione a non farmi sentire, scendo giù per le scale.

Mi sembra quasi di non riuscire a respirare, corro in giardino e vado a prendere la macchina.

Guido fino al cottage, delle lacrime rigano le mie guance.

Non dovevo fidarmi, non dovevo permettergli di farmi poco a poco innamorare incondizionatamente di lui.

Dovevo venire qua per scrivere e lavorare tranquilla al mio nuovo libro, fare delle rilassanti passeggiate sulla spiaggia, prendere un po' di sole, e non per farmi spaccare il cuore.

Entro in casa, Wolf viene scodinzolando a reclamare qualche complimento. Salgo le scale e tiro fuori dall'armadio tutta la mia roba che inizio a infilare alla rinfusa nel trolley.

Non ho intenzione di restare qua, manderò un'e-mail a Vincent per recedere dal contratto di affitto.

Non voglio più sentir parlare né di Porthcurno, né di *Spring House*, né tantomeno di Spencer.

Riesco a fatica a chiudere l'ingombrante trolley, prendo il portatile, la shopper e il guinzaglio di Wolf.

Lui mi guarda senza capire.

«Torniamo a casa, Wolf», mormoro iniziando a portare le nostre cose in macchina.

62. Spencer

Siamo nella mia stanza, non so che dire, Thea mi ha appena ripetuto di essere ancora innamorata, di voler provare a far funzionare il nostro matrimonio.

Per anni ho sognato questa scena ma adesso le cose sono diverse, ora un'altra donna ha catturato il mio cuore.

«Thea, mi dispiace ma io non provo più nulla per te, ti ho amato immensamente ma ora è Peggy la donna che amo. Stai solo perdendo il tuo tempo».

Poi prendendo i fogli che ha appoggiato sul comò aggiungo:

«Firmiamo il nostro divorzio e poi ti suggerisco di tornare a Exeter, io come potrai immaginare ho parecchio da fare...»

Lei si avvicina, poggia una mano dalla manicure impeccabile, sul mio petto.

«Per favore Spency, non buttare tutto quello che è stato il nostro amore per una semplice attrazione. La tua scrittrice, quando avrà terminato il suo romanzo, prenderà la sua macchina e se ne tornerà a Londra e tu resterai soltanto uno con il quale si è divertita un po', tutto qui...»

La guardo, quegli occhi che tanto amavo adesso non mi dicono nulla, vedo in lei solo una donna attaccata all'apparenza.

«Thea, tutto questo non è affar tuo, firmiamo e poi esci da *Spring House*», provo a insistere.

Lei si avvicina e mi attira a sé baciandomi.

Preme la sua bocca sulla mia, ma io la respingo.

«Per favore, firma queste carte e poi vattene».

Lei mi guarda poi, senza aggiungere altro, prende la penna a sfera e dopo aver fatto una sorta di scarabocchio me le porge.

«Arrivederci Spencer, sappi che stai commettendo un errore, probabilmente quella tua Peggy starà già pensando a nuovi progetti e non penso proprio che tu ci rientri».

Rimango indifferente alle sue provocazioni.

«Ti auguro di trovare qualcuno che ti possa amare per quella che sei!», esclamo incamminandomi di sotto.

Voglio andare al cottage, devo vedere Peggy, stringerla tra le mie braccia e dirle che la amo.

Sto per salire sul pick-up quando un ospite di *Spring House* reclama la mia attenzione, sua moglie è scivolata slogandosi una caviglia.

63. Peggy

Continua a piovere, mi soffermo qualche istante come a voler fissare questo paesaggio incantato e i suoi odori delicati nella mente.

Guardo il cottage con il suo giardino dove ho trascorso molto tempo a scrivere e la spiaggia dove, insieme a Wolf, ho fatto delle rilassanti passeggiate ascoltando il rumore del mare e lo stridere dei gabbiani.

Socchiudo gli occhi, respiro ed entro in macchina.

Sto andando in paese per poter consegnare le chiavi di casa a Vincent e recedere così dal contratto di locazione.

Fermo la Mini davanti alla *Cornish Rent House*.

Dalla vetrina vedo Vincent seduto alla sua scrivania che sta lavorando al PC.

Apro la pesante porta a battenti in vetro.

«Buongiorno, Vincent».

Lui solleva lo sguardo e mi osserva sfoderando il suo sorriso.

«Buongiorno, anzi dovrei dire buonasera».

Poi, fissando i miei vestiti un po' bagnati dalla pioggia aggiunge:

«Tutto a posto, Peggy? Non immaginavo che tu passassi, anche se è sempre un piacere vederti».

Prendo le chiavi dalla shopper e gliele porgo.

Lui mi guarda senza capire.

«Devo rientrare a Londra, il mio editore vuole rivedere con me il nuovo romanzo e poi devo iniziare a collaborare all'editing e alla cover del libro. Sono venuta per recedere dal contratto di affitto e lasciare le chiavi del cottage. Se tu riuscissi a mandarmi tutti i documenti per e-mail mi faresti un piacere».

Si aggiusta la camicia.

«Peggy non vuoi ripensarci e magari tenere il cottage per tornare nei weekend? Ha una posizione invidiabile e con l'alta stagione potresti venire e andare in spiaggia quando vuoi».

Gli porgo la mano.

«Grazie ma ho già deciso».

Vincent si alza.

«Mi dispiace, spero però che tu abbia trascorso una piacevole vacanza a Porthcurno».

Gli sorrido.

«È stata una gradevole vacanza, davvero. Adesso però devo andare».

Si avvicina e mi dà un lieve bacio sulla guancia.

«Spero che tu decida di tornare».

«Buona serata, Vincent».

Mi sorride.

«Buon rientro in città e in bocca al lupo per il tuo romanzo».

«Ci vediamo», aggiunge poi.

Sta smettendo di piovere, Wolf dormicchia, io guido ascoltando distrattamente la radio.

Ripercorro la strada sulla costa e poi prendo quella per Exeter.

Non trovo traffico, sto percorrendo la M3 quando mi accorgo che alcune lacrime stanno rigando la mia guancia.

Accidenti, perché gli ho permesso di sgretolare a poco a poco la mia corazza facendomi innamorare di lui?

Non posso continuare a pensare a Spencer, probabilmente adesso lui e Thea saranno insieme e io invece rimarrò solo la "scrittrice londinese" che è passata dal suo letto.

Sto entrando a Londra, le strade sono già caotiche e assai differenti da quelle immerse nel verde alle quali mi ero abituata.

Vedo alcuni turisti che entusiasti stanno aspettando di entrare allo *Sherlock Holmes Museum* e altri che si dirigono a Regent's Park.

Fermo la macchina, Wolf si sveglia e mi guarda.

«Siamo arrivati a casa», gli sussurro allungandomi per accarezzare il suo musetto.

Porto il trolley, la shopper con il portatile e altri sacchi sulla porta della mia palazzina e inizio a cercare le chiavi.

Dopo alcuni istanti riesco a trovarle, mi tolgo le scarpe e a piedi nudi vado in cucina.

Wolf annusa ovunque soddisfatto andando subito a mordicchiare il suo vecchio orsetto di pezza.

Salgo le scale e mi soffermo a osservare dalla finestra del mio studio Regent's Park.

Ho sempre amato questo parco, con i suoi vialetti e alberi secolari, le sue piante che a primavera si tingono di innumerevoli colori e i simpatici scoiattoli che in cambio di qualche nocciolina si fanno fotografare dai turisti.

Apro la finestra, anche qui è ormai giunta la primavera anche se non si sente né il rumore del mare né l'odore delle rose canine e delle magnolie.

Mi siedo nella mia vecchia e comoda poltrona in tweed e digito il numero di Simon.

Dopo alcuni squilli riconosco la voce del mio capo:

«Ehi Peggy, non immaginavo di sentirti».

Dall'altro capo del telefono lo sento farneticare qualcosa, probabilmente con Wendy, la sua assistente. Poi prosegue:

«Quando pensi di rientrare in città? Dovremmo vederci per decidere insieme le strategie di vendita e sponsorizzazione e ovviamente, metterci al lavoro con l'editing. Vorrei fare la presentazione del tuo libro prima dell'uscita del nuovo romanzo di quella spocchiosa di Eleanor Rednor!»

Già, la Rednor è la mia rivale da anni, la sua casa editrice decide sempre di far uscire il suo libro appena prima del mio e questo fa infuriare Simon.

«Peggy sei ancora lì? Non vorrai trasferirti in Cornovaglia?», mi chiede adesso perplesso.

Sorrido, Simon è rigido nel lavoro ma ama quello che fa e si affeziona a noi autori, come se fossimo la sua famiglia allargata.

«Tranquillo, sono appena rientrata. Ti sto chiamando dal mio studio su Regent's Park».

Poi, aggiungo:

«Contavo di portarti il libro dopo averlo riletto tutto per l'editing».

«Come vuoi. Lo sai, sei tu l'autore, e io non posso fare altro che assecondare i tuoi capricci».

Rido.

«E questo sarebbe un capriccio? Guarda che potrei cominciare a farli davvero!»

Lo sento ridere.

«Dai Peggy, non dicevo sul serio. Ho fiducia in te, come al solito faremo ciò che prediligi».

Dice qualcosa a Wendy riguardo un'uscita e poi prosegue:

«Piuttosto, pensavo che saresti rimasta in Cornovaglia ancora per un po'! Quel mare è un incanto, ricordo ancora quelle acque cristalline...»

Per un attimo non dico nulla, poi esclamo:

«Ti ho chiamato anche per avvertirti che mi hanno rubato il cellulare quindi, se vuoi contattarmi, telefonami pure a casa o mandami delle e-mail. Devo passare da Piccadilly Circus per acquistarne uno nuovo...», mento io.

«Accidenti non immaginavo che fossero dediti al furto anche in quei piccoli paesi di vacanza».

«Devo mettermi al lavoro, ci sentiamo Simon», taglio corto io.

«Lavora Peggy, lavora! Devi fare di me un uomo soddisfatto!»

Ovviamente, nessuno mi ha rubato lo smartphone, ho semplicemente tolto la SIM. Non voglio che Spencer mi possa chiamare, non ho intenzione di sentirlo. Quindi dovrò passare dal mio gestore per acquistarne un'altra con un nuovo numero.

Apro il portatile e mi metto a scrivere, di tanto in tanto mi ritrovo a pensare a lui e questo fa male.

Penso al suo sorriso, ai suoi occhi che mi guardavano facendomi sentire sexy, alle sue mani che mi sfioravano, alle sue labbra sulle mie.

Non dovevo innamorarmi di lui, in fondo, sbaglio o il lieto fine lo troviamo soltanto nei miei amati romanzi rosa?

Guardo Wolf, il mio fedele amico, acciambellato sul suo cuscino sul tappeto.

«Ti va una passeggiata?», gli chiedo.

Lui in risposta solleva il musetto e fa andare il codino.

«Andiamo, vediamo se troviamo uno scoiattolo con cui fare amicizia», dico prendendo il guinzaglio verde scozzese.

64. Spencer

Appena riesco a liquidare i miei ospiti, salgo sul mio pick-up e mi dirigo al cottage.

Voglio stringere Peggy e guardandola negli occhi dirle che la amo, che voglio lei, soltanto lei.

Imbocco il vialetto che conduce a Porthcurno e fermo l'auto.

Strano, non vedo la sua Mini. A passo spedito mi ritrovo sul portico, provo a suonare il campanello ma nessuno viene ad aprirmi e non sento neppure Wolf abbaiare alla porta. Mi guardo attorno, le persiane sono chiuse così come i battenti della portafinestra che dà sul giardino sul retro.

Provo a digitare il suo numero ma niente... il suo cellulare sembra essere spento.

Spero solo che siano andati in paese o a passeggiare sulla spiaggia ma qualcosa invece mi suggerisce che se ne sia andata.

Mi passo le mani sul viso, no, non può essersene andata così, senza dirmi nulla, senza un bacio da imprimere nella mente.

Aspetto qualche istante lì, seduto sui gradini del portico, poi decido di passare da Vincent. Se Peggy si è convinta a rientrare in città di certo sarà passata dall'agenzia per restituire le chiavi.

***

Eccomi sulla porta dell'agenzia, della *Cornish Rent House*, aprendo la pesante vetrata spero ancora che Peggy non sia passata da lì e che il mio amico non sappia niente ma invece appena mi vede entrare esclama:

«Ehi Spencer, non immaginavo proprio che la signorina Cennevan decidesse così su due piedi di rescindere il contratto di affitto, ma stai tranquillo, ho già preparato una piccola penale che dovrà corrisponderti».

Poi, alzandosi dalla scrivania, si sistema la camicia e aggiunge:

«Certo, dovevamo immaginare che una scrittrice potesse essere un po' eccentrica».

Versa una tazza di caffè e me la porge.

«Considerata la posizione invidiabile del tuo immobile, conto di trovarti dei nuovi affittuari per tutta la stagione».

Per un istante non dico nulla, se ne è andata, e io invece ho capito di amarla tanto da farmi male.

Devo vederla, non posso credere che non provi nulla per me, Peggy non è quel tipo di donna.

«Vincent, da quanto tempo è passata qui da te?», provo a chiedere.

«Mah, non molto, un'oretta fa più o meno».

Senza dargli il tempo di aggiungere altro mi volto.

«Grazie, ci sentiamo», concludo chiudendomi la pesante porta a battenti alle spalle.

Probabilmente questa è solo l'ennesima pazzia ma spero tanto di riuscire a raggiungerla.

***

Guido facendo attenzione a tutte le macchine che incrocio, anche se la sua non passa di certo inosservata da queste parti.

Sono quasi arrivato a Exeter quando decido di fare inversione, non sono riuscito a raggiungerla e non ho neppure il suo indirizzo di Londra.

Non capisco proprio perché se ne sia andata, anche se immagino che vedere Thea l'abbia spinta a tornarsene a casa. Forse penserà che, sotto sotto, in tutto questo tempo io non abbia mai smesso di amare la mia ex moglie e che non desideri altro che rimettermi con lei. Ma si sbaglia: il mio cuore adesso è stato rapito da quella petulante e oltremodo cocciuta scrittrice di romanzi rosa e non voglio che lei.

Come fa a non capirlo?

Accompagnato da questi pensieri rientro a *Spring House* che, nonostante i suoi ospiti, non mi è mai sembrata così silenziosa come adesso.

65. Peggy

Da quando sono rientrata a Londra ho lavorato parecchio: sono riuscita a consegnare il nuovo romanzo a Simon, ci siamo poi impegnati nell'editing e, insieme a Damian e Nora del settore grafico, abbiamo realizzato la cover.

Sto guardando il mio libro, come sempre la mia casa editrice mi ha fatto avere alcune copie in anticipo rispetto al giorno dell'uscita per poterle inviare alle blogger.

Nessun e-book è ancora disponibile, Simon non vuole che qualche pirata informatico possa hackerarlo.

È già da un po' che sono rientrata, passo le giornate lavorando e facendo delle lunghe passeggiate nel parco.

Nei giorni scorsi sono passata anche dai miei; mia mamma ha deciso di rimodernare la casa: vuole cambiare la cucina, il salotto e apportare qualche modifica qua e là. Ovviamente, pretende che sia papà a far tutto, seguendo le sue dritte.

Sono rimasta un po' lì, abbiamo parlato del libro e del mio soggiorno in Cornovaglia, immagino che mia mamma abbia scorto nei miei occhi qualcosa, ma non mi ha fatto domande.

Mi sto incamminando alla stazione della Metro per andare a pranzo con mia sorella Lucy.

Abbiamo deciso di trovarci da *Cafè Concerto* a Regent Street.

Lei ha iniziato da poco a lavorare per il rinomato maestro pasticcere Connor O'Reel, un'autentica celebrità del cake design, ed è sempre indaffarata soprattutto adesso che è la stagione dei matrimoni.

Esco dalla stazione della Metro di Oxford Circus e mi incammino distratta tra i passanti.

La vedo: jeans, una camicetta a righe rosa cipria, sneakers, i lunghi capelli castani fermati in uno chignon disordinato.

So già che lei, con un solo sguardo, intuirà tutto, siamo sempre state unite, abbiamo avuto gli stessi amici, frequentato le stesse scuole, siamo l'altra metà della stessa mela.

Lei sorridendo viene ad abbracciarmi.

«Avevo proprio voglia di vedere la mia sorellona!», esclama stringendomi.

«Guarda che abbiamo praticamente la stessa età, ricordi?»

Poi, aggiungo:

«Sei uno splendore, il nuovo lavoro deve giovarti».

Entrando nel raffinato e classico Cafè, mi risponde:

«Il lavoro mi piace, ho sempre sperato di riuscire a entrare nel team di Connor ma ti assicuro che non è affatto semplice.

Ha davvero un caratteraccio, un po' come tutti i grandi chef o maestri pasticceri, e pretende che tutti lavorino sodo e non ammette alcun errore. Però amo questo lavoro», ammette sognante.

Ci sediamo nella saletta sul retro che dà su di un piccolo cortile, le porte sono aperte e si sente l'odore delle piante aromatiche.

Ordiniamo entrambe un'insalata vegetariana e dei blueberry muffin.

«Allora cosa mi dici della tua vacanza-lavoro in Cornovaglia?», mi chiede sorseggiando il suo cappuccino gigante.

Non dico nulla, mi limito a girare il cucchiaino nella tazza.

«È per il libro che hai quel ghigno? Forse non riesci a scrivere come un tempo?», mi chiede.

Sollevo lo sguardo dalla mia mug e prima che io possa dire qualcosa lei esclama:

«No, non dirmi nulla, ho capito, non è per il libro, si tratta di un uomo!»

Sento una lacrima scendere sulla mia guancia, Lucy si alza e mi abbraccia.

«Dai, racconta...», mi esorta lei.

«Lucy, non dovevo innamorarmi di lui, mi ha spaccato il cuore».

Le parlo del cottage, di *Spring House*, di tutti i disastri che ho combinato e di Spencer, di quanto mi sentissi contenta e appagata con lui e poi, ovviamente, di Thea e del mio successivo rientro in città.

Lucy mi ascolta, di tanto in tanto allunga la mano sul tavolino per prendere la mia.

Quando smetto di parlare, sorridendo, mi dice:

«Non capisco proprio il suo comportamento, da quello che mi hai appena raccontato si direbbe che fosse innamorato di te!»

Prendendo una forchettata di insalata aggiunge:

«Non potrebbe esserci stato un malinteso? Forse non si stavano baciando?»

La guardo.

«Lucy? Quello posso assicurartelo era inequivocabilmente un bacio».

«Non so cosa dire, magari è stata proprio quella Thea a baciarlo... tu però avresti almeno dovuto parlarci, per sentire cos'aveva da dire».

Sì, lo so che non sarei dovuta scappare, ma so anche che vedere ancora quei suoi occhi verdi mi avrebbe fatto male.

«Potresti chiamarlo», prova a suggerirmi mia sorella.

«No, non se ne parla. Non ho intenzione di sentirmi dire che vuole riprovarci con quella che è ancora sua moglie!»

«Peggy ti voglio bene ma onestamente penso che tu stia facendo un errore».

Guardo quel viso dolce e simpatico a cui voglio un sacco di bene. Mi piacerebbe che fosse come ipotizza mia sorella, che fosse tutto un malinteso, ma queste cose si vedono soltanto nei film di Julia Roberts o si leggono nei romanzi rosa, non nella vita reale.

Restiamo ancora un po' a parlare.

Ascolto divertita tutti i pasticci che ha combinato Lucy in cucina al lavoro. Mi parla, poi, del suo capo esigente, scontroso ma assai sexy e già immagino che tra un macaron e l'altro potrebbe anche scoppiare la passione, e anche del piccolo appartamento che vorrebbe acquistare.

«Adesso, devo rientrare al lavoro. Devo creare delle rose in pasta di zucchero per una torta di compleanno di una manager assai esigente».

La abbraccio.

«Grazie, ti voglio bene sorellina».

«Ti voglio bene pure io».

Prende il golfino leggero e lo zainetto a fiori di *Cath Kidston*.

«Buona giornata e rifletti su quello che ti ho detto, Peggy».

Le sorrido.

«Vai, il tuo capo ti rimprovererà se non corri in pasticceria».

Guarda lo smartphone.

«Devo proprio correre se non voglio una ramanzina coi fiocchi», conclude incamminandosi per Regent Street.

***

Faccio una passeggiata in centro, guardo le vetrine dove si alternano abitini succinti e i nuovi arrivi delle collezioni autunnali, poi passo anche a prendere una nuova SIM per il cellulare.

Non avendo voglia di salire su di una Metro affollata decido di prendere il bus, uno di quelli rossi a due piani vecchio modello andando a sedermi di sopra.

Le strade pullulano di turisti alle prese con smartphone e camere digitali, tutti impegnati a scattare una foto da postare sui social.

Passiamo da Marble Arch e costeggiamo Kensington Park. Mi convinco di scendere e fare una passeggiata nel parco, magari potrei addirittura arrivare da *Harrods* per comprare quei gustosi cupcake della pasticceria per cui lavora Lucy.

Cammino, assaporando il clima mite e il leggero vento che mi accarezza le guance.

La mia mente non vuole smettere di pensare a Spencer, probabilmente Thea avrà già riportato le sue cose a *Spring House* e saranno di nuovo innamorati.

Accidenti, non posso continuare a pensare a lui, devo voltare pagina e scordarmi tutto: le giornate passate insieme, i suoi occhi, il suo viso, la sua bocca sulla mia.

Devo riporre tutto in un cassetto e gettare la chiave, adesso devo concentrarmi sul lavoro, nient'altro.

Camminando sono arrivata da *Harrods*, passo per l'elegante area di *Vuitton* e altri marchi costosi e mi dirigo nella pasticceria.

Prendo una scatola di cupcake e alcuni macaron al cioccolato, mi regalo anche una palette di ombretti e ritorno a casa.

Wolf scodinzola abbaiando contento, guardo quel musetto morbido e non posso che sorridere.

66. Spencer

Da quando Peggy è tornata a Londra, le giornate trascorrono lente tutte scandite dalla solita monotona routine.

I turisti ormai hanno affollato le spiagge e anche *Spring House* è costantemente al completo.

Il lavoro è tanto e riesce a tenermi occupato ma quando il mio sguardo si posa sul dondolo in giardino, vorrei tanto che lei fosse lì con i suoi capelli raccolti in modo disordinato, il portatile aperto sulle cosce assorta nella scrittura. Vorrei, tra un lavoretto in giardino e un altro in veranda, potermi avvicinare a lei, darle un frettoloso bacio aspettando la sera per poterla stringere tra le mie braccia.

Vorrei dover correre in suo aiuto per toglierla da qualche pasticcio: un vetro rotto, una chiave spezzata nella serratura o altro ancora.

Thea prima di rientrare a Exeter è passata ancora da qua, mi ha detto di essere ancora innamorata di me e che forse lo è sempre stata ma io, è inutile, non posso mentire a me stesso e al mio cuore: sono innamorato di Peggy, della mia adorabile scrittrice.

Ho continuato a chiamarla, ma lei deve aver cambiato numero. Ho anche chiesto a Vincent un suo recapito ma il solo che abbiamo trovato è quello della sua Casa editrice. Purtroppo, però, mi hanno liquidato sostenendo che non sono autorizzati a dare informazioni personali sulle loro autrici.

È tardo pomeriggio, sono seduto sul portico quando vedo arrivare la macchina del mio fidato amico e contabile.

«Ehi Spens, sono passato per portarti i bilanci, *Spring House* va alla grande!», esclama avvicinandosi con alcuni fogli in mano.

Mi dà un'amichevole pacca sulla spalla poi, guardandomi negli occhi, aggiunge:

«Senti, ci conosciamo da sempre, siamo cresciuti insieme imparando a fare surf giù a Porthcurno e quello che so per certo è che qualcosa non va, e immagino che porti il nome di una certa scrittrice di romanzi rosa».

Guardo il mio amico.

«Colin, in cucina ho uno Chardonnay, che ne dici se lo prendo?»

***

Torno con il vino e ci sediamo in giardino.

«Allora, vuoi sputare il rospo?», mi incalza il mio amico.

Assaporo il vino e, rigirandomi il bicchiere tra le mani, inizio a dire:

«Da quando Thea era tornata dalla sua famiglia non mi ero più innamorato, è come se avessi messo in standby il cuore, i miei sentimenti. Nessun coinvolgimento, solo sesso occasionale. Poi invece, mi ritrovo tra i piedi lei: all'inizio non la sopportavo proprio ma poi ho cominciato a guardarla con occhi diversi ed è proprio in quel momento che ho capito di essermi innamorato».

Poi aggiungo:

«La amo Colin, come non ho mai amato nessun'altra».

Il mio amico si passa la mano sul viso.

«Spens, mi dispiace che Miss Cennevan abbia deciso di tornarsene a Londra, spero che tu riesca a riportarla qua, da te».

Restiamo ancora un po' a parlare, quando Colin sale in macchina faccio per rientrare ma il fracasso delle gomme di un'auto che inchiodano sul vialetto richiama la mia attenzione. Mi volto, subito riconosco la macchina sportiva di Vincent che ha frenato bruscamente per non urtare quella del mio amico che stava facendo inversione.

Lo guardo scendere dall'auto nel suo sofisticato completo inamidato, ha in mano un pacco.

«Buonasera Spencer, pomeriggio davvero mite, adatto a una passeggiata sulla spiaggia». Si avvicina togliendosi gli occhiali da sole.

«Sono passato per portarti questo. Quando stamattina sono andato al cottage per mostrarlo a una coppia interessata a prenderlo in affitto, ho notato un insieme di fogli sullo scrittoio. Ho immaginato che fossero degli appunti di Miss Cennevan così, prima di cestinarli, ho pensato di portarteli...»

Mi ritrovo tra le mani un alto plico di fogli scritti al PC, dev'essere una copia del romanzo che stava scrivendo. Sulla prima pagina svetta in grassetto il suo titolo: *Porthcurno: la mia storia con te*.

Sono nella mia stanza sdraiato sul letto con la finestra aperta, per tutta la serata non ho fatto altro che pensare al pacco che mi ha portato poco fa Vincent e che adesso fa mostra di sé sul mio comò.

Mi alzo, so che dovrei solo buttarlo o magari usarlo per accendere il caminetto, ma invece lo prendo e comincio a leggerlo.

Pagina dopo pagina, tra quelle righe mi sembra di scorgere ciò che è accaduto tra noi anzi sono quasi certo che la storia che Peggy ha voluto raccontare in questo libro parli di noi.

Siamo io e lei i suoi due protagonisti... racconta di un amore intenso, sbocciato in modo del tutto spontaneo tra un litigio, uno sguardo e una carezza appena accennata.

Non riesco a posare quel tomo di fogli fino a quando non arrivo al suo epilogo. Vorrei tanto sapere cos'aveva in mente per i suoi personaggi ma a quanto pare non lo aveva ancora scritto quanto ha deciso di tornarsene a Londra, lontana da qui, lontana da quello che potevamo essere.

Non ho praticamente chiuso occhio per tutta la notte, assorto in quella lettura che riesce, proprio come un film o un vecchio album di foto, a farmi riassaporare le emozioni che ho provato con lei. È come se avessi riavvolto il nastro e avessi potuto ripercorrere ogni passo, da quel primo incontro casuale fino a quei baci desiderosi di andare oltre.

Appena arriva Rudy, decido di andare a Penzance per comprare una copia del suo romanzo, devo assolutamente sapere cosa sognava per il suo epilogo.

***

Sono davanti alla piccola libreria, in vetrina viene sponsorizzato proprio il suo libro. Sarà una notevole pubblicità per i nostri paesini di mare essere le location di quello che, già a pochi giorni dalla sua uscita, viene definito un successo letterario unico.

Entro. Kim, la proprietaria, da dietro le spesse lenti degli occhiali, mi chiede:

«Buongiorno Spencer, era da un po' che non passavi... vuoi vedere alcuni thriller? Ne ho alcuni dalla trama molto avvincente».

Prima che aggiunga altro intervengo:

«No, vorrei una copia del libro di Peggy... Peggy Cennevan».

Lei mi guarda.

«Non immaginavo che leggessi storie d'amore, ma d'altronde tutti qua in paese ne hanno acquistato una copia per ritrovare un po' di Penzance tra queste pagine».

Mi limito a pagare senza aggiungere altro.

Cammino per le strette strade del centro e mi ritrovo poi sulla spiaggia, alcuni ragazzi si divertono provando e riprovando a prendere qualche onda. Mi siedo sulla sabbia, mi rigiro tra le mani il suo libro continuando a fissare quella cover che ricorda tanto *Spring House* poi, aprendolo, leggo:

"A te, che mi hai insegnato di nuovo ad amare..."

Vado di getto all'epilogo.

"Era inutile negare a me stessa che il mio cuore fosse rimasto proprio lì, tra quelle spiagge battute dal vento e lambite da acque cristalline. Era quello l'unico posto che, a sorpresa, mi sentivo di voler chiamare davvero casa. Sì, la mia casa era lì, in quel piccolo cottage, ma soprattutto casa mia era poter essere stretta tra le sue braccia. Lo avevo capito, ero incondizionatamente innamorata di lui.

Abbassai lo sguardo e dissi al mio fedele amico:

«Andiamo a casa»".

Rimango per un po' lì, continuando a fissare quelle poche righe... anch'io avevo capito tutto, dovevo partire per Londra.

67. Peggy

Sono nel mio studio, sta piovendo. Sembra che questa nuova perturbazione non abbia intenzione di spostarsi dalla capitale inglese.

Sono seduta alla mia scrivania con il mio nuovo romanzo tra le mani. È già da un po' che osservo la sua cover: si vede un cottage che si affaccia su un giardino ricco di piante colorate e sullo sfondo una spiaggia lambita da acque turchesi e il titolo: *Porthcurno, la mia storia con te*.

Quel cottage mi ricorda *Spring House*, è come se questa cover fosse un dipinto ad acquarello del B&B di Spencer.

Quanto vorrei essere ancora là, in quel giardino, stretta tra le sue braccia.

Abbasso lo sguardo, Wolf mi sta guardando.

«Mi dispiace ma piove, nessuna passeggiata nel parco», gli sussurro accarezzandolo, poi preciso:

«E poi mio caro amico, lo sai che devo andare alla *Daffodils bookshop* per la presentazione del mio libro».

Già, Simon quando esce un nuovo romanzo della sua casa editrice riesce sempre a farci ospitare da una delle più rinomate librerie di Londra per il lancio del romanzo.

Invita blogger, librai, giornalisti, critici letterari e naturalmente gli affezionati lettori.

Il libro è disponibile ovunque da appena una settimana ed è già in classifica, nella Top Ten, dei romanzi più venduti del Regno Unito.

Simon, entusiasta, mi ha telefonato per dirmi quanto fosse soddisfatto di questo lavoro.

Vado in bagno per truccarmi, un po' di cipria vellutante, un ombretto leggero, mascara e un gloss, inutile dirlo, *nude*.

I capelli ho deciso di tenerli sciolti approfittando della piega di Wendy.

Metto un abito rosa antico a fiori, le mie amate *Louboutin* color cipria che riservo per le grandi occasioni, golfino e pochette in pendant con le décolleté.

Accarezzo Wolf e, considerata la pioggia, riesco a ricordarmi anche l'ombrello.

Niente Metro, ad aspettarmi nel taxi c'è Marion la mia editor e amica.

«Iniziavo a pensare che avessi deciso di non venire».

Poi, sorridendo aggiunge:

«Sei splendida, Peggy».

Cerca in un sacco alcuni fogli spiegazzati.

«Ecco, qua ci sono alcune domande che i critici vorranno farti, se vuoi puoi sbirciarle».

«No, lo sai che non mi piace prepararmi le risposte, non siamo al College. Dirò loro ciò che mi passa per la mente».

Si mangiucchia nervosamente un'unghia dalla manicure impeccabile.

«Non potrebbe cambiare strada?», domanda nervosa Marion al tassista.

L'uomo ci guarda nello specchietto.

«Il traffico è in tilt da Marble Arch a Oxford Circus per questi stupidi *Mid-season sale*. Da *Primark*, come potete vedere, la coda è pazzesca solo per entrare!»

Prendiamo Park Street, guardo la pioggia, è proprio la classica giornata di Londra.

Svoltiamo in Grasnover Street, anche qui il traffico è assurdo, procediamo a passo di lumaca.

«Marion, se continuiamo così, quando arriveremo alla libreria, la presentazione sarà già cominciata e Simon andrà su tutte le furie... direi di scendere e andare a piedi», propongo sistemandomi una ciocca dietro l'orecchio.

Marion sbuffa, poi esclama:

«Senta, potrebbe farci scendere qua! Abbiamo un appuntamento di lavoro e non sono ammessi ritardi!»

L'uomo la guarda.

«Come volete, d'altronde oggi il traffico è davvero incredibile».

«Può tenere il resto», gli dice scendendo dall'auto.

Camminiamo sotto il mio ombrello, adesso la pioggia è leggera, le strade sono caotiche, sembra proprio che tutta Londra abbia deciso di riversarsi in centro per uno shopping compulsivo.

Svoltiamo in Regent Street e riusciamo poi a entrare nella *Daffodils bookshop*. Vedo uno scaffale dove, tra i best-seller, svetta la copertina del mio nuovo romanzo.

Un poster annuncia la presentazione del mio libro: "Oggi con noi, la fantastica scrittrice Peggy Cennevan in occasione dell'uscita del suo nuovo romanzo già campione di vendite in poche ore".

Marion, soddisfatta, mi guarda ridendo.

Shelly, la commessa con cui parlo sempre e che mi segue fin dagli esordi, si avvicina con il suo classico completo verde della libreria.

«Voglio pure io una copia con dedica!»

Poi, aggiunge:

«Salite, la *conference room* non ha poltroncine vuote per questo evento, tu Peggy riesci sempre a richiamare molti lettori».

Facciamo le scale, respiro, e sorridendo entriamo nella vasta sala.

Mi siedo con Marion sulla poltroncina imbottita; su di un piccolo tavolino ci sono delle bottigliette d'acqua. Simon mi guarda soddisfatto tenendo in mano il suo smartphone, tra gli ospiti scorgo già alcuni critici letterari e giornalisti piuttosto pignoli, sorrido e, prendendo in mano il libro, aspetto che Marion faccia la sua solita introduzione.

«Buon pomeriggio, come sempre siamo molte liete di vedervi qua. Il nuovo romanzo della nostra cara Peggy Cennevan, anche se appena uscito in tutti gli *store*, è già tra i best-seller del Regno Unito per copie vendute. Non voglio rubarvi altro tempo, adesso Peggy vi parlerà di questo suo nuovo lavoro».

Si sente un applauso.

«Benvenuti e grazie di essere qua. Innanzitutto vorrei ringraziarvi per aver acquistato *Porthcurno, la mia storia con te*. Mi auguro che vi piaccia e che vi faccia trascorrere dei momenti rilassanti facendovi magari fare anche qualche risata.

Questa è una storia d'amicizia e d'amore, con dei protagonisti a me molto cari.

In questo libro vi porto in Cornovaglia, in un piccolo paesino con una spiaggia lambita da acque cristalline».

Alcune blogger iniziano a farmi le consuete domande, poi uno dei critici alza mano. È Clifford Hurb, un giornalista sulla sessantina che sopporto a malapena, di solito non offre delle recensioni molto accattivanti riguardo i miei lavori.

«Buonasera Peggy, sai che io non sono un amante del genere rosa e che spesso ho anche criticato i tuoi lavori anche se, lo riconosco, sei una delle autrici più amate e vendute del paese».

Sorrido.

«Lo so che non ami questi romanzi, ma per oggi devi accontentarti di un'autrice rosa», gli rispondo versandomi un bicchiere d'acqua.

Qualcuno nella sala ride.

«Mi piace parlare con te: sei cortese ed educata ma allo stesso tempo sei arguta e rispondi sempre per le rime».

Poi prosegue:

«Devo ammettere però che, stavolta, il tuo romanzo mi è piaciuto, i protagonisti sono delineati in modo superbo con i loro sentimenti e le loro sensazioni. Leggendo ho pure pensato che stessi parlando di te, della tua storia d'amore».

Sollevo lo sguardo dal libro, sento il viso arrossarsi per l'imbarazzo.

Il giornalista mi guarda.

«Ho fatto centro? È di un tuo amore che parli nel libro?»

Anche Marion, adesso, mi guarda come se non capisse.

«Posso chiederti cosa ti ha fatto pensare che stessi parlando di un mio amore passato?», replico io.

«In ogni pagina si riesce ad avvertire un sentimento intenso e profondo... l'amore delle favole, quello autentico, quello che in pochi possono davvero dire di aver conosciuto. In questo romanzo si percepisce qualcosa in più, rispetto agli altri».

Solleva lo sguardo dal suo taccuino.

«Penso proprio che l'uomo di cui parli deve averti rapito il cuore e in onestà mi auguro che anche la tua storia sia andata allo stesso modo, con un meritato *happily ever after*».

Guardo la cover del romanzo, quel cottage che tanto mi ricorda *Spring House* e la spiaggia di Porthcurno.

Marion, in imbarazzo, prova a chiedere:

«Qualche altra domanda?»

Una mano si alza, non riesco a vedere di chi si tratti, è un po' in penombra.

«Vorrei chiedere all'autrice se è possibile scrivere un nuovo epilogo, uno differente».

Poi, aggiunge:

«Anche alla nostra storia».

Riconosco quella voce, tutti si voltano a guardare il mio interlocutore.

68. Spencer

Quando sul sito internet della sua casa editrice ho letto che Peggy avrebbe presentato il suo libro in una delle librerie di Londra, ho capito che dovevo necessariamente andare là, questa era un'occasione che non potevo di certo sprecare.

Sono uscito dalla stazione della metro di Piccadilly Circus e mi sto incamminando per Regent Street. Era da un pezzo che non tornavo a Londra e devo ammettere che questa città mantiene invariato qualcosa di magico e affascinante.

Ecco che vedo l'insegna del negozio *Daffodils bookshop*, anche qua in vetrina svettano numerose copie del suo romanzo. Una locandina invita i lettori a partecipare alla presentazione del suo romanzo.

Nella *conference room* le poltroncine sono quasi tutte occupate, riesco a sedermi in una sul fondo della sala.

Come al solito Peggy è in ritardo, mi guardo intorno, tutti tengono in mano una copia del libro sulla quale vorranno farsi fare una dedica autografata dall'autrice. Ecco che la porta a battenti si apre.

I miei occhi non riescono a staccarsi da lei... è da quel giorno a *Spring House* che non la vedo, è incantevole: i lunghi capelli sciolti che le scivolano sulla schiena, un abitino che valorizza le sue forme e il ticchettio dei suoi tacchi che riecheggia della stanza.

Va a sedersi al grande tavolo insieme a un'altra donna, si passa poi distrattamente la mano sul viso, continuo a guardarla, non vorrei far altro che alzarmi e correre là per stringerla tra le mie braccia.

Sul suo volto però non vedo lo stesso sorriso e il medesimo sguardo divertito e sensuale di qualche tempo addietro.

La donna fa una piccola introduzione poi è Peggy che, in una veste professionale, assai differente da quella impertinente e combinaguai alla quale mi ha abituato, comincia a parlare.

In molti alzano la mano per fare una domanda all'autrice, anch'io faccio lo stesso.

Quello che immagino sia un critico insinua che questo suo romanzo parli in realtà di lei, di un suo amore... Peggy sembra essere in imbarazzo a rispondere.

La sua collaboratrice chiede, poi, se qualcun altro voglia fare ulteriori domande, io alzo ancora la mano.

«Dica pure», esclama la donna indicando il sottoscritto.

«Vorrei chiedere all'autrice se è possibile scrivere un nuovo epilogo, uno differente».

Poi, aggiungo:

«Anche alla nostra storia».

Tutti nella sala si voltano a guardarmi.

69. Peggy

Socchiudo gli occhi e respiro. Non immaginavo di rivederlo, di incontrare di nuovo quegli occhi verdi tanto intensi che mi hanno rapito il cuore.

Spencer si alza dalla poltroncina piuttosto scomoda nella penombra della sala.

Tiene gli occhi fissi nei miei: è abbronzato, capelli scompigliati leggermente più lunghi e quel lieve accenno di barba che lo rende estremamente sexy.

Marion si volta a guardarmi.

«Peggy, mi vuoi dire chi è quello?», mi chiede di getto.

Simon, sfoderando un sorriso soddisfatto, esclama:

«A quanto pare miei cari signori questa presentazione si rivelerà decisamente movimentata!»

Si volta a guardarmi.

«Allora, Peggy, è lui l'uomo di cui parli nel tuo libro? È lui di cui ti sei "incondizionatamente" innamorata? Perché è proprio così che hai scritto nel tuo romanzo e immagino che tutti i presenti si staranno chiedendo questo».

Non riesco a spostare lo sguardo da Spencer.

Marion mi picchietta una spalla.

«Per favore Peggy, di' qualcosa perché ti assicuro che sto rasentando una crisi isterica coi fiocchi! Prima la pioggia adesso quel tale che fa irruzione dichiarandosi il protagonista del tuo libro e Simon che asseconda tutto questo, sto letteralmente impazzendo!»

Spencer continua a guardarmi, sembra non avere intenzione di spostare il suo sguardo dal mio viso.

«Peggy, per favore scriviamo un nuovo epilogo anche alla nostra storia, insieme», continua.

«Non lo vedi? Sto lavorando, sono qui per promuovere il mio libro, non per discutere con te».

Poi, guardando Marion, aggiungo:

«Altre domande?»

Prima che qualcuno possa proferire parola Spencer si alza e si incammina tra le poltroncine.

«Accidenti Peggy, sei la solita zuccona. Possibile che tu non voglia stare ad ascoltarmi un istante?»

«Se non sei qui per il libro, vattene! Forse non te ne sei reso conto ma stai disturbando una presentazione», lo aggredisco senza spostare gli occhi dai suoi.

«Non sono qui per il tuo romanzo, sono qui per te. Lo vuoi capire che ti amo? Sono innamorato di te Peggy Cennevan, amo tutto di te perfino quel tuo essere estremamente testarda, non ho mai amato nessuno come te e so che anche tu mi ami. Non è così?», dice quasi urlando.

Marion prende un sorso della mia acqua, penso che potrebbe davvero avere una crisi di panico.

Tutti ci fissano, come se stessero guardando la scena di un film.

«Per favore esci da questa sala se non vuoi che chiami le guardie».

«Chiama chi vuoi, ma io non uscirò da qui fin quando non mi dirai, guardandomi negli occhi, che non provi niente, che non mi ami! Quando ho letto il tuo libro, ho capito che parlava di noi, del nostro amore... dovevo vederti. Non potevo permetterti di gettare ciò che siamo, la nostra storia, così sono venuto qua».

Continua a guardarmi poi aggiunge:

«Anche tu mi ami, non è così?»

Tutti ci stanno scrutando, nel silenzio generale.

«Allora Peggy, dimmi che non mi ami e ti garantisco che uscirò di qua e non ti darò ancora fastidio, ma voglio che tu me lo dica, guardandomi».

Socchiudo gli occhi, respiro.

Continuo a rivedere la scena di lui e Thea che si stanno baciando, vorrei gridargli che mi ha solo presa in giro ma non posso, non alla conferenza per l'uscita del mio romanzo, Simon si infurierebbe.

Mentendo a me stessa affermo:

«Mi dispiace, non ti amo Spencer».

Per qualche istante non risponde, nella sala nessuno parla, tutti continuano a guardarci.

Si sta avvicinando.

«Ti conosco e so che non è così, sei cocciuta e non vuoi ascoltarmi. Ti amo davvero e ti avrei dato tutto me stesso». Poi, mantenendo gli occhi fissi nei miei, sorridendo, aggiunge:

«Ti avrei dato tutto me stesso, incondizionatamente».

Allunga la mano sfiorandomi la guancia.

«Ti auguro di essere felice».

Si volta, lo osservo dirigersi verso la porta e prendere le scale.

Nessuno parla.

Marion, in imbarazzo, prova a suggerire:

«Allora, direi di rimetterci al lavoro. Qualcuno vuole fare altre domande a Peggy?»

Alex Dunn, critico del *New Girl Magazine*, alza la mano.

«Come critico dovrei semplicemente ribadire che questo romanzo è incantevole, ha tutto: una storia dolce e al contempo divertente, dei personaggi intensi delineati con attenzione e meticolosità che riescono a farti sorridere con i loro litigi, emozionare e pure innamorare. Peggy Cennevan, hai fatto centro con una commedia romantica che fa sognare. Questo è quello che probabilmente scriverò nella recensione, davvero un lavoro superlativo».

«Grazie Alex, mi fa piacere che tu abbia gradito il romanzo».

Simon mi guarda.

«Peggy, ormai ti conosco da anni, ho assistito alla tua crescita professionale e ai successi che, insieme, abbiamo collezionato. Ma, come amico, ti dico che hai appena fatto una grande cazzata».

Poi aggiunge:

«Sì, hai fatto una cazzata. Si legge dai tuoi occhi che è lui l'uomo di cui parli nel libro, l'unico capace di far battere ancora un cuore deluso, l'unico che ti abbia davvero amato. Quindi se posso dirtelo, alzati da quella poltrona, togliti quei tacchi sexy e corri. Corri per strada e urlagli che lo ami».

Non dico nulla.

«Su, forza, vai. Noi restiamo qui, vogliamo conoscere l'epilogo della tua storia».

Non devo riflettere, il mio cuore sa già cosa fare.

Mi alzo.

«Simon, grazie! Davvero».

Faccio come ha detto il mio editore, mi tolgo le scarpe e inizio a correre giù per le scale.

70. Spencer

La donna alla quale ho appena dichiarato tutto il mio amore, guardandomi dritto negli occhi e con distacco, mi ha appena detto che non mi ama, che non prova nulla.

Sto camminando per Regent Street, confondendomi nella moltitudine di persone che si riversano nelle strade dello shopping. Sta piovendo, io non ho neppure l'ombrello e l'unica cosa che vorrei è poterla stringere tra le mie braccia.

Mi torna alla mente quel giorno di qualche tempo fa quando mi imbattei in lei.

Ricordo che era una giornata mite, tutt'intorno si iniziava a percepire il profumo della primavera, io stavo facendo dei piccoli lavori di manutenzione a *Spring House* quando mi ritrovai davanti una ragazza. Indossava un abitino leggero e degli assurdi tacchi del tutto inappropriati, i capelli mossi dal vento, trascinava un ingombrante trolley e aveva un piccolo cane come compagno di avventura.

Forse, inconsapevolmente, è stato proprio in quel momento, quando i nostri occhi si sono incontrati, che è riuscita a catturare il mio cuore.

Sono arrivato a Piccadilly Circus, sullo schermo passano alcune pubblicità quando alle mie spalle sento:

«Lo so, lo so, sono cocciuta e testarda e sì, sono anche arrabbiata con te perché hai baciato tua moglie e mi sento una stupida a essere scappata dalla libreria per venire da te, sotto la pioggia, senza neppure un ombrello».

Mi volto, Peggy completamente zuppa mi guarda avvicinandosi.

71. Peggy

Corro giù per le scale e Shelley, alle prese con degli scatoloni colmi di nuovi romanzi da sistemare sullo scaffale, mi guarda non capendo.

«Ma dove stai andando? Non dovresti rispondere alle domande dei giornalisti?»

«Scusa, ma ho appena fatto una cavolata, poi ti spiego», le dico io aprendo la pesante porta a battenti.

Accidenti, si è rimesso a piovere e con questi *Mid-season sale* sembra che tutta Londra sia uscita per fare shopping proprio in Regent Street.

Come una matta, provo a scorgerlo tra la moltitudine di ombrelli ma nulla, non so neppure da quale parte andare.

Andrà a Oxford Circus o Piccadilly?

Decido per Piccadilly, cammino pensando che sono stata davvero stupida.

Sono ormai alla statua di Eros, sta piovendo, sono praticamente zuppa quando lo vedo.

Neppure lui ha l'ombrello, sta guardando lo schermo pubblicitario.

Mi avvicino.

«Lo so, lo so, sono cocciuta e testarda e sì, sono anche arrabbiata con te perché hai baciato tua moglie e mi sento una stupida a essere scappata dalla libreria per venire da te, sotto la pioggia senza neppure un ombrello».

Spencer mi guarda.

«Però ci hai azzeccato, il mio libro parla di noi, di tutto ciò che tu riesci a farmi provare... io ti amo Spencer Mac Dorner e, anche se non riusciamo a stare nella stessa stanza senza litigare, voglio averti per me, voglio tutto di te».

Lui si avvicina, tiene quegli occhi tanto intensi e profondi nei miei, poi vedo spuntare sulle sue labbra quel sorriso sghembo che tanto mi piace.

«Peggy, concordo pienamente con te su diverse cose e tutto ciò che vorrei fare adesso è baciarti ma prima voglio dirti non sono stato io a baciare Thea, non l'avrei mai fatto».

Mi prende la mano.

«Quando è tornata a *Spring House* con i documenti per il divorzio ha provato a sedurmi, mi ha detto che in tutti questi anni non aveva mai smesso di amarmi e mi ha baciato. Io, ovviamente, non ho ricambiato le sue attenzioni e le ho detto che eri tu l'unica donna che volevo, nessun'altra».

Mi guarda sorridendo e aggiunge:

«Sono tornato al cottage, volevo parlarti, dirti che ti amavo ma tu non c'eri più, eri già in viaggio per Londra. Non mi hai risposto al telefono, ai messaggi, ho provato perfino a chiamare la tua casa editrice».

Lo ascolto, fisso quei suoi occhi che mi hanno rapito il cuore.

Poi aggiunge:

«Qualche giorno addietro Vincent è passato da *Spring House* per darmi un plico di fogli che avevi dimenticato là: era una copia stampata di quello che avevi scritto quando eri al cottage. Avevo pensato di stracciarli ma poi invece ho iniziato a leggerli.

Pagina dopo pagina mi sembrava di rivivere la nostra storia, il nostro amore. Ovviamente non avevi ancora scritto l'epilogo così, appena è uscito il tuo romanzo, l'ho comprato. Per i tuoi protagonisti avevi immaginato il classico lieto fine, quello delle favole, quello delle dolci commedie romantiche e ho pensato che fosse lo stesso che avresti desiderato per noi due. Volevo vederti, così, quando ho letto che avresti fatto una presentazione per il tuo romanzo, sono venuto qui».

Si avvicina ancora, mi sfiora la guancia.

«Ti amo Peggy Cennevan e adesso, se non hai niente in contrario, penso proprio che ti bacerò».

Rimaniamo lì, zuppi per la pioggia a baciarci davanti al maxischermo al led di Piccadilly Circus.

In sottofondo il rumore del traffico, dei passanti alle prese con i sacchi dei loro acquisti.

Spencer si stacca appena dalla mia bocca.

«Che ne dici di andare a ripararci da qualche parte?»

Poi sorridendo aggiunge:

«E il tuo *meeting*?»

«Già, me ne stavo scordando, penso proprio che dovrò trovarmi un'altra casa editrice ma prima di tutto dovevo rimettere insieme i pezzi del mio cuore», gli confido.

Spencer mi stringe a sé sollevandomi.

«E adesso cosa vuoi fare?»

«A quanto pare adesso hai l'abitudine di scappare, ma non puoi... quindi ti sto riportando alla tua presentazione».

«Ma siamo zuppi, Spencer!», mi lamento.

Lui sorride e praticamente sulle mie labbra aggiunge:

«Londra è la capitale dello shopping e in Regent Street puoi trovare tutto ciò che vuoi».

Sorrido, felice come una bambina la notte di Natale.

***

Spencer mi ha fatto comprare un abitino blu con una stola che naturalmente mi ha obbligato a indossare.

Adesso stiamo salendo insieme, mano nella mano, le scale della *Daffodils bookshop*.

Con un po' di imbarazzo apro la porta in vetro della sala conferenze, Spencer mi sfiora con un bacio le labbra.

Noto che quasi tutti sono rimasti lì.

Marion mi guarda, dal suo sguardo penso proprio che se potesse mi prenderebbe a calci nel sedere.

Torno a sedermi sulla mia poltrona.

«Scusate davvero, non sono solita fare queste cose ma, come avrete tutti quanti intuito, dovevo parlare con una persona», mi giustifico spostando lo sguardo su Spencer che, sulla porta della sala, mi sta fissando.

Tutti si voltano a guardarlo. Lui, in evidente imbarazzo, sorride abbassando lo sguardo.

Simon, sorseggiando un caffè che deve aver comprato durante la mia "fuga", esclama:

«Tutti quanti ti abbiamo aspettato qua domandandoci se saresti riuscita a scrivere un lieto fine anche per voi due. Penso che tutti noi vorremo conoscere l'epilogo di questa emozionante e avvincente storia nella storia. Sì, perché è proprio di questo che si tratta: una dolce, divertente e romantica storia d'amore racchiusa in un fantastico *romance*».

Si sentono diversi commenti, tutti d'accordo con quanto ha appena detto il mio editore, Marion mi guarda nervosa.

Respiro, socchiudo per un istante gli occhi e poi inizio a dire:

«Come avrete capito questa non è la solita presentazione in cui si parla di un nuovo romanzo, dove si fanno le consuete domande all'autrice e lei risponde. No, non lo è».

Guardo Simon e aggiungo:

«Non immaginavo certo che qualcuno avrebbe intuito che questo libro parlasse di me, della mia storia d'amore. Chi ha già letto il libro, e mi auguro di essere riuscita a farlo ridere ed emozionare, sa quanto fossi innamorata di Spencer», ammetto spostando lo sguardo ancora su di lui.

«Però spesso, per degli stupidi malintesi, si commettono dei grandi errori, ed è proprio ciò che ho fatto. Sono scappata proprio come ha fatto Rose, la mia protagonista.

Per chi non ha ancora letto il libro non voglio dire altro, non voglio fare degli spoiler.

Quello che invece posso dirvi è cosa ho scelto di scrivere per l'epilogo della mia storia d'amore».

Sposto lo sguardo sul sexy proprietario di *Spring House* ed esclamo:

«Quell'uomo là è l'unico ragazzo con cui vorrei stare, l'unico che riesce a far impazzire il mio cuore, l'unico che potrei amare così... incondizionatamente».

Tutti iniziano ad applaudire, Marion mi guarda ridendo adesso.

Simon sorride.

«Sei partita per la Cornovaglia per cercare ispirazione per il tuo romanzo e là, hai trovato anche il tuo personale lieto fine quindi, adesso, come in tutti i romanzi che si rispettino, alzati e corri a dare un bacio a colui che è riuscito a far innamorare la regina dei romanzi rosa».

Seguo ciò che mi ha suggerito Simon e vado ad abbracciarlo.

«Ti amo, Spencer Mac Dorner, ti amo e vorrei gridarlo».

Sorride.

«Per favore non metterti pure a urlare, per oggi hai già combinato abbastanza guai».

Poi tenendo gli occhi fissi nei miei aggiunge:

«Ma ti amo anche per questo».

Lo guardo, mi perdo in quegli occhi verdi che tanto amo e lo bacio.

Epilogo

Guardo Spencer dormire, cosa che adesso capita spesso soprattutto da quando mi sveglio, ancor prima di lui, per mettermi a lavorare.

Sì, ho in mente una nuova storia, dei nuovi personaggi che mi terranno compagnia, un nuovo romanzo.

Seduta alla mia scrivania, ogni tanto mi volto per controllare che questo non sia soltanto un sogno.

Dopo quell'assurda presentazione alla *Daffodils bookshop* il libro è schizzato in vetta a tutte le classifiche inglesi, soprattutto dopo la recensione di Clifford Hurb.

Così come aveva dichiarato, si è espresso in modo entusiastico riguardo il mio nuovo romanzo e ha definito la sottoscritta: intelligente, sagace e un po' pazza.

L'ho sempre ritenuto il classico critico letterario che si diverte a sminuire gli autori di romanzi rosa per degli assurdi pregiudizi invece, devo ammettere, che è stato davvero cortese, un vero professionista.

Mi alzo dalla sedia, ho scordato la finestra aperta, si sente un leggero venticello.

Mi soffermo un istante a osservare il mare che lambisce la spiaggia dorata di Porthcurno. Quando ero a Londra spesso mi sono ritrovata a pensare a questo cottage e a ciò che si poteva vedere dalla finestra della mia stanza.

Dopo quell'assurdo *meeting,* Spencer mi ha chiesto di tornare con lui a *Spring House* e io ovviamente non me lo sono fatto ripetere.

Per adesso abbiamo deciso di stare qua, insieme, in quello che era il cottage che avevo affittato. Un'altra cosa che amo del mio lavoro è che posso scrivere dove voglio: basta un PC, le mie idee e nient'altro.

Penso che nella bassa stagione, invece, torneremo per un po' a Londra, nel mio appartamento che si affaccia su Regent's Park e ovviamente a Natale. Londra per Natale si veste di magia: gli addobbi, le strade caotiche per lo shopping, la musica, le vetrine a tema di *Harrods*, ovunque si respira la festa.

I turisti adesso iniziano a diminuire, dall'estate caotica si sta passando pian piano a quelle miti e calme giornate d'autunno.

Socchiudo la finestra e facendo attenzione a non svegliarlo scendo in cucina. Wolf è rimasto sul tappeto in camera, prendo una tazza di thè e dei gustosi cupcake ed esco in giardino con il mio portatile.

Si sente un leggero venticello che preannuncia la stagione più fredda, mi stringo nel cardigan e inizio a scrivere.

Sto ancora lavorando quando Spencer si avvicina, i capelli ancora umidi per la doccia, una tazza di caffè in mano.

«Buongiorno», dice posando le labbra sulle mie.

«Stai lavorando parecchio, immagino che Simon ne sarà soddisfatto».

Sollevo lo sguardo dal PC.

«Se fosse per lui dovrei scrivere un libro al giorno, sai com'è, però non cambierei mai editore, mi sopporta e non vuole impormi canoni di scrittura».

Spencer mi fa alzare per prendermi in braccio.

«Amo svegliarmi e trovarti qui, in giardino, assorta nella scrittura, ancora in pigiama con i capelli scompigliati».

Poi, dandomi un bacio sulla spalla, aggiunge:

«Sai, mi ha telefonato Lily, Lily Chester, e mi ha chiesto se *Spring House* fosse disponibile per il suo matrimonio. Lei e Chris pensavano di sposarsi nel Lake District a casa di lui ma poi, dopo che sono stati qua, si sono innamorati di *Spring House* e così hanno pensato di fare un intimo e riservato ricevimento da noi».

Altro bacio sulla spalla.

«Che ne pensi?»

Mi volto.

«Mi pare un'idea splendida, *Spring House* è una cornice incantevole per un matrimonio e poi immagino che una wedding planner avrà di certo un sacco di idee».

Chiudo il portatile, Spencer è un'allettante distrazione. Mi volto e gli do un bacio.

«Ti va di fare una passeggiata sulla spiaggia?», mi chiede spostando appena la bocca dalla mia.

«Sono ancora in pigiama».

«Dai mettiti qualcosa, anche Wolf vorrebbe fare la sua solita camminata».

Quando torno in giardino Spencer sta giocherellando con il mio fedele amico, mi guarda e sorride. Perdendomi nei suoi occhi non posso che pensare a quanto sia innamorata, a quanto un semplice viaggio sia riuscito a farmi imbattere nell'amore, quello delle favole, quello dei miei amati romanzi rosa. Mi avvicino con in mano il guinzaglio e ci incamminiamo giù per il sentiero, si sente il rumore del mare e lo stridere dei gabbiani.

La spiaggia è tutta per noi: amo questo periodo calmo e tranquillo, con il sole alto nel cielo, le giornate sono ancora miti e ci si può rilassare in compagnia di chi si ama e magari anche di un libro.

Camminiamo a piedi nudi, Wolf corre scodinzolando.

Mi volto e lo guardo, lui, che è riuscito a farmi innamorare, a farmi sentire amata come non mai.

Sono contenta e appagata, faccio un lavoro che amo, scrivere è sempre stata la mia passione e posso farlo qui, in questo piccolo paese sul mare. E poi sono innamorata di Spencer, lo amo "incondizionatamente" proprio come ho scritto nel mio libro.

Quando sono venuta qua per poter lavorare al nuovo romanzo, non avrei immaginato che mi sarei innamorata, soprattutto del diffidente e piuttosto rude padrone di *Spring House*.

Spencer mi distoglie dai miei pensieri:

«Sai, ci ho pensato un po' e anche se hai un caratteraccio, non riesco a immaginare nessun'altra con cui mi piacerebbe cominciare a mettere su famiglia. Ti amo Peggy Cennevan e considerato che entrambi non siamo più degli adolescenti...»

Lo interrompo.

«Parla per te, io sono poco più che trentenne!», grido mettendo il broncio per prenderlo in giro.

Lui si avvicina.

«Non conosco i tuoi progetti ma io sto cominciando anche a pensare a un pargoletto».

Lo guardo.

Un bambino? Spencer mi ha appena detto che vorrebbe un bambino, con me.

Mi fissa.

«Peggy, se non vuoi possiamo aspettare quanto vuoi. Forse ho corso un po' troppo, scusami».

Per un istante non dico nulla, socchiudo gli occhi e mi immagino lì, in quel delizioso cottage, a *Porthcurno Cove*. Il mio portatile aperto sul tavolino del patio con un nuovo romanzo da scrivere, Wolf che corre in giardino e un bambino o magari due bambine con gli stessi occhi di Spencer che gli tirano le orecchie.

Poi immagino noi due, a piedi nudi in giardino, che le osserviamo giocare, Spencer mi sorride e soddisfatto mi accarezza i capelli.

Sì, forse è questo che desidero, forse è ciò che ho sempre desiderato.

Sollevo lo sguardo.

«Beh, allora penso che dovremo metterci subito al lavoro».

Lui mi guarda, sorride, e cingendomi i fianchi esclama:

«Ci aspetta un estenuante lavoro signorina Cennevan… un estenuante, gradevolissimo, lavoro».

Sorrido e mano nella mano ci incamminiamo a casa.

Sì, adesso posso dirlo: se lo cerchi, il lieto fine tanto ambito, è proprio lì che ti sorride e come in tutte le favole che si rispettino non posso che scrivere… e vissero per sempre felici contenti.

The End

Ringraziamenti

Innanzitutto non posso che ringraziare lei, la mia rumorosa famiglia che è tutto per me.

I miei genitori per avermi sempre supportata e appoggiata e che adesso sono dei nonni incantevoli; le mie bimbe che divertite ascoltano sempre i miei deliri di scrittrice e che, coi loro sorrisi e il loro amore, sono il regalo più prezioso che potessi sperare di ricevere.

Ringrazio le mie nonne che sono tra le prime a leggere i miei romanzi e si lamentano sempre per le ambientazioni inglesi... chissà, magari più avanti potrei decidere per una location italiana anche se per adesso dovranno ancora aspettare.

Un GRAZIE particolare a Rosa (la rosa dei libri) un'amica, blogger e grande lettrice che con pazienza e simpatia è stata la prima a leggere la storia di Peggy e Spencer dandomi suggerimenti e facendomi fare tante risate. Sei stata una beta-reader meravigliosa!

Ringrazio le tante blogger che con il loro prezioso lavoro danno una mano a tutte noi autrici, siete sempre gentilissime. Ringrazio poi la Blueberry Edizioni e il nostro direttore per avermi dato ancora fiducia non soltanto come autrice.

Ringrazio poi mio marito che ha creduto nelle mie storie ancor prima che iniziassi a farlo io e che sopporta il mio carattere. Ringrazio poi Susy, più che un'amica, la sorella che non ho avuto... ti voglio bene.

Un grazie anche a Filippo Ratta, oltre che essere un autore che stimo ti sei dimostrato un amico.

Ringrazio anche le tante autrici-amiche conosciute su Instagram con le quali faccio tante risate, in particolare Ilaria Mann, le tue idee sono sempre pazzesche.

E ovviamente GRAZIE a tutti voi lettori che avete deciso di trascorrere un po' del vostro tempo in compagnia di Peggy e Spencer... spero di avervi fatto sorridere e, perché no, emozionare.

Grazie alla prossima storia

Liz

Liz Mac Tea

Nel dicembre 2018 pubblica "Scrivimi ti amo" e nel marzo 2019 "Un disastro per amore", entrambi editi da Collana Floreale. Nell'estate del 2019 pubblica con Le Mezzelane CE "Non posso innamorarmi ancora" e nel luglio 2020 "Così vicino a te" con Butterfly Edizioni. Da segnalare anche i romanzi: "Il mio errore sei tu" e "Posso Amarti?". Nel 2021 pubblica con Blueberry Edizioni: "Tutta colpa del tacco 12", "Un errore tira l'altro" e "Amore extra contratto".